Por mais um dia

Mitch Albom

Por mais um dia

O que você faria se tivesse uma única chance de voltar atrás e consertar o que fez de errado na vida?

SEXTANTE

Título original: *For One More Day*

tradução: Pedro Jorgensen Junior

preparo de originais: Regina da Veiga Pereira

revisão: José Tedin Pinto, Sérgio Bellinello Soares e Tereza da Rocha

projeto gráfico e diagramação: Valéria Teixeira

ilustração da capa: Phil Rose

capa original: Ashwini M. Jambotkar

adaptação da capa: Miriam Lerner

fotolitos: RR Donnelley

impressão e acabamento: Cromosete Gráfica e Editora Ltda.

CIP-BRASIL. CATALOGAÇÃO-NA-FONTE
SINDICATO NACIONAL DOS EDITORES DE LIVROS, RJ

A295p Albom, Mitch, 1958-
Por mais um dia/Mitch Albom; tradução de Pedro Jorgensen Junior. – Rio de Janeiro: Sextante, 2006.

Tradução de: For one more day
ISBN 85-99296-11-6

1. Mães e filhos – Ficção. 2. Mães – Morte – Ficção. 3. Comportamento suicida – Ficção. 4. Ficção americana. I. Jorgensen Junior, Pedro. II. Título.

06-3717 CDD 813
CDU 821.111(73)-3

Rua Voluntários da Pátria, 45 – Gr. 1.407 – Botafogo
22270-000 – Rio de Janeiro – RJ
Tel.: (21) 2286-9944 – Fax: (21) 2286-9244
E-mail: atendimento@esextante.com.br
www.sextante.com.br

"Deixe-me adivinhar. Você quer saber por que eu tentei me matar."

– As primeiras palavras que me foram ditas por Chick Benetto

O começo

ESTA É A HISTÓRIA de uma família. E como há um fantasma envolvido, pode-se dizer que é uma história de fantasmas. Mas toda família é uma história de fantasmas. Os mortos sentam-se à nossa mesa até muito depois de terem partido.

O PERSONAGEM PRINCIPAL desta história é Charles "Chick" Benetto. Mas não era ele o fantasma. Charles era bem real. Eu o encontrei numa manhã de sábado na arquibancada de um campo de beisebol de uma Liga Mirim, vestindo um agasalho impermeável e mascando chiclete de hortelã. Talvez você se lembre dele como ex-jogador. Para mim, que passei boa parte da minha vida profissional fazendo crônica esportiva, seu nome era bastante familiar, em vários níveis.

Olhando para trás, percebo que era inevitável encontrá-lo. Eu tinha vindo a Pepperville Beach fechar a venda de uma casinha que durante anos pertencera à minha família. No caminho de volta para o aeroporto parei para tomar um café e vi, do outro lado da rua, um campo onde garotos de camiseta roxa arremessavam e rebatiam bolas. Como tinha tempo, fui até lá dar uma olhada.

Enquanto eu observava, com os dedos enroscados no alambrado que fica atrás da área do rebatedor, um velho manobrava um cortador de grama. Era moreno e enrugado e trazia na boca metade de um charuto. Ao me ver, desligou a máquina e perguntou se algum daqueles garotos era meu filho. Respondi que não. Perguntou o que eu fazia ali. Eu lhe falei da casa. Ele quis saber em que eu trabalhava, e eu cometi o erro de dizer.

– Crônica esportiva, é? – ele falou, mascando seu charuto. Em seguida apontou para um sujeito sentado na arquibancada, sozinho, de costas para nós. – Acho que você devia ir lá falar com aquele cara. Aquela, sim, é uma história e tanto.

Ouço isso a toda hora.

– É mesmo? E por quê?

– Ele foi profissional.

– Hã-hã.

– Acho que chegou a disputar uma Série Mundial.

– Hã-hã.

– E tentou se matar.

– O quê?

– Isso mesmo. – Deu uma fungada. – Pelo que ouvi dizer, ele tem muita sorte de estar vivo. Ele se chama Chick Benetto. A mãe morava aqui perto. Posey Benetto. – Deu uma risadinha marota. – Ela era uma mulher e tanto.

Deixou cair o charuto e pisou em cima.

– Se não acredita, vá até lá e pergunte a ele.

E retornou ao seu cortador de grama. Eu larguei o alambrado. Meus dedos saíram sujos de ferrugem.

Toda família é uma história de fantasmas.

Fui até a arquibancada.

O QUE VOCÊ VAI LER me foi contado pelo próprio Charles "Chick" Benetto na nossa conversa daquela manhã – que se estendeu até muito depois – com um ou outro detalhe tirado de seus papéis pessoais e das páginas de seu diário, que encontrei mais tarde por minha própria conta. Reuni tudo nesta narrativa, com as palavras dele mesmo, porque não sei se você acreditaria na história se não a ouvisse da boca do próprio Chick.

Talvez não acredite mesmo assim.

Mas pergunte a você mesmo se já não desejou desesperadamente ter tido uma conversa a mais com um ente querido que se foi, uma chance de compensar o tempo que perdeu achando que ele estaria aqui para sempre. Se já, então você sabe que podemos passar a vida inteira colecionando dias, mas que nenhum vale mais do que aquele que desejaríamos ter de volta.

Mas e se você o tivesse?

I. Meia-noite

A história de Chick

DEIXE-ME ADIVINHAR. Você quer saber por que eu tentei me matar.

Você quer saber como foi que sobrevivi. Por que desapareci. Onde estive esse tempo todo. Mas, primeiro, por que eu tentei me matar, certo?

Tudo bem. Todo mundo pergunta. As pessoas se avaliam por mim. É como se em algum lugar houvesse uma linha divisória que, não sendo cruzada, jamais o levaria a pensar em se atirar de um prédio ou tomar um vidro de remédio. Cruzando-a, você se mataria. As pessoas acham que eu cruzei a linha. Elas se perguntam: "Será que um dia vou chegar tão perto quanto ele chegou?"

A verdade é que não existe linha alguma. O que existe é a vida da gente, a bagunça em que podemos transformá-la e quem aparece para nos salvar.

Ou não aparece.

OLHANDO PARA TRÁS, comecei a relembrar o dia em que minha mãe morreu, há uns 10 anos. Na hora eu não estava presente, como devia. Então, menti. Foi uma idéia errada. Enterro não é lugar de segredos. Em pé, junto do túmulo, eu estava tentando me convencer de que não tinha tido culpa, quando minha filha de 14 anos pegou minha mão e sussurrou: "Que pena que você não teve chance de se despedir dela, pai." Foi o suficiente. Desabei. Caí de joelhos chorando, molhando a calça na relva.

Depois do enterro, bebi tanto que desmaiei no sofá de casa. E alguma coisa mudou. Um dia basta para mudar o curso da vida da gente, e naquele dia o curso da minha pareceu curvar-se implacavelmente para baixo. Minha mãe não me largava um minuto quando eu era criança – com conselhos, críticas, aquela coisa de mãe, que chega a sufocar. Às vezes, tudo o que eu queria era que ela me deixasse em paz.

Pois foi o que ela fez. Visitas e telefonemas, nunca mais. Sem perceber, eu comecei a me desviar do rumo, como se minhas raízes tivessem sido arrancadas, como se eu fosse levado pela correnteza de um braço de rio. As mães alimentam certas ilusões a respeito dos filhos. Eu tinha a ilusão de que gostava de quem eu era porque minha mãe gostava. Quando ela morreu, essa idéia se foi junto.

A verdade é que eu não gostava nem um pouco de quem eu era. Em minha cabeça ainda me via como um jovem e promissor atleta. Mas eu não era mais jovem nem atleta. Era um vendedor de meia-idade. Minha época promissora tinha acabado há muito tempo.

Um ano depois da morte da minha mãe cometi a maior estupidez da minha vida em matéria de finanças. Deixei-me convencer por uma corretora a aplicar num fundo de investimento. A moça era jovem e atraente, aquele tipo de mulher alegre e confiante que anda com dois botões da blusa abertos e faz um homem mais velho se sentir amargurado quando ela passa – a menos, é claro, que fale com ele. Aí ele fica idiota.

Nós nos encontramos três vezes para discutir a proposta: duas no escritório dela e a terceira num restaurante grego, nada comprometedor. Mas quando o efeito do perfume da moça no meu cérebro passou, eu já tinha aplicado quase todas as minhas economias num fundo de ações totalmente desvalorizadas. Ela foi rapidamente "transferida" para a costa oeste, e eu tive de explicar à minha mulher, Catherine, onde fora parar o dinheiro.

Depois disso, passei a beber mais – na minha época todo jogador bebia –, o que me fez perder dois empregos de vendedor. E ser despedido me levou a beber ainda mais. Eu dormia mal. Comia mal. Parecia envelhecer parado. Quando estava empregado, antes de me encontrar com um cliente, eu dava uma passada no banheiro para aplicar o colírio e o anti-séptico bucal que levava escondidos nos bolsos. O dinheiro passou a ser um problema e tornou-se motivo de brigas constantes entre mim e Catherine. Com o tempo, nosso casamento desmoronou. Ela se cansou das minhas desgraças, e eu não a culpo por isso. Quando estamos mal com nós mesmos acabamos ficando mal com todo mundo, inclusive com as pessoas que mais amamos. Uma noite Catherine me encontrou desmaiado no chão do porão, com o lábio cortado, agarrado a uma luva de beisebol.

Pouco depois eu abandonei minha família – ou ela me abandonou.

Você não faz idéia da vergonha que eu sinto até hoje por causa disso.

Mudei-me para um apartamento. Fui me tornando cada vez mais intratável e distante. Evitava todo mundo que não quisesse me acompanhar num trago. Minha mãe, se fosse viva, teria sabido dar um jeito em mim, porque sempre foi boa nessas coisas. Pegaria no meu braço e diria: "Vamos lá, Charley, o que é que está havendo?" Mas ela havia ido embora, e é isso o que acontece quando os nossos pais morrem: em vez de entrar na briga com alguém do seu lado, você entra nela sozinho.

Então, uma noite, no começo de outubro, eu decidi me matar.

Não se espante. Talvez você imagine que um cara como eu, que já disputou a Série Mundial, não pode descer ao ponto de se suicidar porque, na pior das hipóteses, traz dentro de si aquela coisa do "sonho que virou realidade". Mas isso é um engano. A única coisa que acontece quando seu sonho se transforma em realidade é a descoberta lenta e arrastada de que ele não era o que você imaginava.

E isso não salva ninguém.

O QUE ACABOU COMIGO, o que me empurrou para o abismo, foi, por estranho que pareça, o casamento da minha filha. Ela estava com 22 anos e tinha os cabelos castanhos lisos e compridos iguais aos da mãe, e os mesmos lábios carnudos. Casou com um "cara maravilhoso" numa cerimônia num fim de tarde.

Isso é tudo o que sei, porque foi tudo o que ela escreveu numa carta lacônica que chegou ao meu apartamento poucas semanas depois do casamento.

Parece que as bebedeiras, a depressão e o mau comportamento tinham me transformado numa presença de alto risco nas celebrações da família. Por isso, tudo o que recebi foram duas fotografias dentro de um envelope, uma de minha filha com o marido embaixo de uma árvore, com as mãos entrelaçadas, outra do feliz casal brindando com champanhe.

Essa última foto me deixou arrasado. Era a imagem da

própria pureza, aquele momento único de sorrisos abertos e taças se tocando. Tudo tão inocente, tão jovem e tão... você no passado. Parecia zombar da minha ausência. *E você não estava lá.* Eu nem conhecia o rapaz. Minha ex-mulher, sim. Nossos velhos amigos, também. *E você não estava lá.* Mais uma vez eu estava ausente num momento crítico da vida familiar. E dessa vez a minha garotinha não pegaria a minha mão para me confortar; ela agora pertencia a outro homem. Eu não estava sendo consultado. Estava sendo comunicado.

Olhei para o envelope que trazia seu novo sobrenome (*Maria Lang, em vez de Maria Benetto*), mas não o endereço do remetente (Por quê? Medo de que eu fosse visitá-los?), e alguma coisa dentro de mim caiu tão fundo que nunca mais consegui achar. Ser excluído da vida de sua única filha é como se uma porta de aço se fechasse à sua frente: você a esmurra e ninguém ouve. E não ser ouvido é a ante-sala da desistência; e desistir, a ante-sala do suicídio.

Foi o que tentei fazer.

A questão não é tanto "De que adianta?", mas "Que diferença faz?".

Ao retornar, trôpego, aos braços de Deus,
Com canções inacabadas e trabalho por fazer,
Que caminhos terão pisado seus pés sofridos?
Que montanhas terá subido, de paz ou de dor?

Espero que Deus tenha sorrido e pegado sua mão
E dito: "Pobre vadio, arrebatado tolo!
O livro da vida é difícil de entender;
Por que não continuaste na escola?"

(Poema de Charles Hanson Towne, encontrado dentro de uma agenda entre os pertences pessoais de Chick Benetto.)

Chick tenta acabar com tudo

A CARTA DA MINHA FILHA chegou numa sexta-feira, o que me deu o pretexo para um porre de fim de semana do qual não lembro grande coisa. Na segunda de manhã, tomei um longo banho frio e cheguei duas horas atrasado no trabalho. Mas não fiquei no escritório mais de 45 minutos. Minha cabeça martelava. O lugar parecia um túmulo. Então eu me esgueirei até a sala da xerox, daí para o banheiro e depois para o elevador, sem paletó nem pasta, para que alguém que estivesse observando meus movimentos os achasse normais, e não uma saída arquitetada.

Pura idiotice. Ninguém se importava. Eu trabalhava numa empresa grande, que tinha um exército de vendedores e podia passar muito bem sem mim, como sabemos agora, já que essa jornada do elevador ao estacionamento foi meu último ato como seu empregado.

ATO CONTÍNUO, procurei um telefone público e liguei para minha ex-mulher. Ela estava no trabalho.

– Por quê? – eu perguntei quando ela atendeu.

– Chick?

– Por quê? – repeti. Eu tivera três dias para alimentar minha raiva, e isso foi tudo o que saiu. Duas palavras: "Por quê?"

– Chick – ela falou, num tom mais suave.

– Eu não fui sequer *convidado?*

– Foi idéia deles. Acharam mais...

– Mais o quê? Mais seguro? Por acaso eu ia fazer alguma coisa?

– Não sei.

– Quer dizer que agora eu sou um monstro? É isso?

– Onde você está?

– Eu sou um monstro?

– Pára com isso.

– Eu vou embora.

– Olha aqui, Chick, ela não é mais criança, e se...

– Você não podia pelo menos ter me defendido?

Ouvi ela expirar com força.

– Vai embora para onde? – Catherine perguntou.

– Você não podia pelo menos ter me defendido?

– Eu lamento, Charley, mas é complicado. Tem a família dele também. E eles...

– Você foi com alguém?

– Ai, Chick... Eu estou trabalhando, sabe?

Nesse momento eu me senti mais solitário do que nunca, uma solidão que parecia esmagar meus pulmões, mal me deixando respirar. Não havia mais nada a dizer. Não sobre isso. Nem sobre mais nada.

– Tudo bem – sussurrei. – Desculpe.

Outra pausa.

– Para onde você vai? – ela perguntou.

Desliguei.

E ENTÃO, PELA ÚLTIMA VEZ, eu me embebedei. Primeiro num lugar chamado Mr. Ted's Pub, cujo barman era um rapaz magrinho, de cara redonda, provavelmente da mesma idade do sujeito com quem minha filha se casara. Depois, voltei ao meu apartamento, sentei na cozinha e bebi um pouco mais. Derrubei os móveis. Rabisquei as paredes. Acho até que joguei as fotos do casamento na lixeira. Em algum momento no meio da noite decidi voltar para casa, isto é, para Pepperville Beach, a cidade onde fui criado. Ficava a duas horas de carro, mas havia anos que eu não ia lá.

Zanzei de um lado para outro do apartamento, andando em círculos, como se me preparasse para uma viagem. Mas não se precisa de muita coisa numa viagem de despedida. Fui até o quarto e peguei um revólver na gaveta.

Desci aos trambolhões até a garagem, entrei no carro, pus o revólver no porta-luvas, joguei um casaco no banco de trás – ou no da frente, ou talvez ele já estivesse lá, não sei – e saí para a rua cantando pneu. As luzes amarelas tremeluziam na cidade silenciosa, e eu ia acabar com a minha vida no lugar onde ela havia começado.

Retornar, trôpego, aos braços de Deus. Simples assim.

Temos o orgulho de anunciar o nascimento de

Charles Alexander

3,93kg

21 de novembro de 1949

Leonard e Pauline Benetto

(Dos papéis de Chick Benetto.)

FAZIA FRIO E CHOVIA POUCO, mas a estrada estava deserta. Usei as quatro faixas, passando de um lado para outro. Era de esperar, de desejar talvez que, bêbado como eu estava, acabasse sendo parado pela polícia, mas não fui. Até parei, a certa altura, na loja de conveniência de um posto 24 horas para comprar umas latinhas de cerveja. Fui atendido por um asiático de bigodinho.

– Quer um bilhete de loteria? – ele perguntou.

Eu, que ao longo dos anos aprendera a exibir uma aparência perfeitamente normal quando estava calibrado – o alcoólatra que caminha firme –, fingi considerar a questão por um momento.

– Hoje não – respondi.

Ele colocou as cervejas numa bolsa. Quando meu olhar cruzou com aquele par de olhos escuros e opacos, pensei comigo mesmo: *Este é o último rosto que verei no mundo.*

Ele me passou o troco por cima do balcão.

QUANDO VI A PLACA indicando minha cidade – "Pepperville Beach, saída a 1 milha" – eu já tinha bebido duas latas de cerveja e derramado a terceira no banco. Ouvia as batidas ritmadas do limpador de pára-brisa. Lutava para me manter acordado. Devo ter saído do ar enquanto pensava "saída a 1 milha", porque depois de um tempo vi uma placa para outra cidade. Ao perceber que tinha deixado passar a entrada, dei um soco no painel. Virei o carro ali mesmo, no meio da rodovia, e voltei na contramão. Não havia tráfego, e de qualquer modo eu pouco me importava. Tinha de pegar aquela saída. Pisei fundo no acelerador. Logo apareceu uma rampa – a de entrada, não a de saída – e eu entrei nela com um golpe de direção. Era um trevo, daqueles cheios de voltas. Havia uma curva fechada na descida. Segurei o volante e entrei nela a toda.

De repente, dois faróis enormes, como dois sóis gigantes, ofuscaram a minha visão. Então ouvi o som estridente da buzina de um caminhão, então houve uma colisão violenta, então meu carro voou por cima do barranco e desceu aos solavancos colina abaixo. Havia vidro estilhaçado por todo lado e latas de cerveja voando em torno de mim, e eu agarrei furiosamente o volante. Em dado momento, o carro virou e eu fiquei de borco. Sabe-se lá como, consegui alcançar o trinco da porta e puxei-o com força. Lembro-me de ter vislumbrado uma nesga de céu escuro e a relva verde, antes de ouvir um estrondo forte como o de um trovão e perceber que algo grande e pesado vinha abaixo.

QUANDO ABRI OS OLHOS, estava deitado na relva molhada. Vi meu carro semi-enterrado debaixo do painel publicitário de um revendedor Chevrolet local, contra o qual aparentemente se chocara, destruindo-o. Por um desses fenômenos da física, devo ter sido atirado para fora do carro antes do impacto final. Na hora em que está querendo morrer, você se salva. Tem explicação?

Lentamente e a duras penas consegui me pôr de pé. Tinha as costas encharcadas e o corpo todo me doía. Ainda caía uma chuva fina, mas havia um profundo silêncio, exceto pelo cricri dos grilos. Normalmente, numa situação dessas, você pensaria: "Fico feliz por estar vivo." Mas eu não podia dizer isso, porque não era verdade. Olhei para a estrada no alto. Em meio à neblina, consegui distinguir o caminhão, que mais parecia o casco de um navio naufragado, a cabine tombada para a frente como se seu pescoço tivesse sido cortado. Saía fumaça do capô. Um dos faróis ainda estava aceso, lançando sobre o barranco enlameado um solitário facho de luz que refletia nos estilhaços de vidro como se fossem diamantes.

Onde estava o motorista? Estaria vivo? Ferido? Sangrava? Respirava? Se eu tivesse coragem, evidentemente teria ido lá em cima para verificar, mas coragem não era o meu forte àquela altura dos acontecimentos.

Portanto, não fui.

Em vez disso, saí caminhando, com os braços caídos junto ao corpo, em direção à minha antiga cidade. Não me orgulho da minha atitude, mas naquele momento eu não era capaz de pensar racionalmente. Era um zumbi, um robô, sem consideração por ninguém, nem por mim mesmo; na verdade, eu estava no topo da lista. Larguei tudo para trás – o carro, o caminhão e o revólver. Meus sapatos rangiam sobre o cascalho molhado enquanto eu ouvia as risadas dos grilos.

NÃO SEI DIZER por quanto tempo caminhei. Mas foi o suficiente para que a chuva parasse e o céu começasse a clarear com os primeiros sinais do alvorecer. Logo cheguei aos arredores de Pepperville Beach, assinalados por uma torre de água antiga e enferrujada, bem atrás do campo de beisebol. Em cidades pequenas, subir na torre de água era um rito de passagem. Nos fins de semana, eu costumava subir na torre com meus companheiros de beisebol, levando latas de tinta spray presas na cintura.

E lá estava eu outra vez diante da torre, velho, bêbado, encharcado, quebrado e talvez, devo acrescentar, um assassino, ou pelo menos era o que eu supunha, porque em nenhum momento vi o motorista do caminhão. Mas que importância tinha? Meu próximo ato não requeria qualquer habilidade, porque eu estava determinado a fazer daquela noite a última da minha vida.

Cheguei à base da escada.

Comecei a subir.

Custei a alcançar o nível do tanque. Ao chegar, desabei na passarela. Mal conseguia respirar. No fundo do meu cérebro aturdido, uma voz me censurou por estar tão fora de forma.

Olhei a copa das árvores lá embaixo. Atrás delas, vi o campo de beisebol onde meu pai me ensinara a jogar. Ver o campo sempre me trazia lembranças tristes. Por que será que a infância nunca nos larga, mesmo quando você se sente tão arrasado que até esquece que já *foi* criança?

O céu estava mais claro e o cricri dos grilos, mais alto. Num lampejo veio uma súbita lembrança de Maria adormecida sobre meu peito, a pele cheirando a talco, tão pequenininha que eu a ninava com um braço só. E aí me vi como estava agora, molhado e imundo, irrompendo em seu casamento: a música pára e todos me olham horrorizados, Maria a mais horrorizada de todos.

Abaixei a cabeça.

Ninguém sentiria a minha falta.

Dei dois passos rápidos à frente, agarrei o corrimão e me atirei.

O RESTO É INEXPLICÁVEL. Não sei dizer no que bati nem como sobrevivi. Só me lembro de desviar e quebrar e arranhar e virar e raspar antes do baque final. Estas cicatrizes no meu rosto? Acho que vieram daí. Tenho até hoje a sensação de que a queda durou uma eternidade.

Quando abri os olhos, estava no chão, cercado de galhos quebrados e sentindo a pressão das pedras contra o estômago e o peito. Ergui o queixo e vi surgindo na luz da manhã o campo de beisebol da minha juventude, os dois bancos dos reservas e o montículo do arremessador.

E minha mãe, que tinha morrido há muitos anos.

II. Manhã

A mãe de Chick

UM DIA MEU PAI ME DISSE: "Você pode ser um menino da mamãe ou um menino do papai. Mas não pode ser os dois."

Então eu fui um menino do papai. Imitava seu jeito de andar. Imitava sua risada profunda e rouca. Carregava comigo uma luva de beisebol, porque meu pai adorava beisebol, e pegava todas as bolas que ele me arremessava, mesmo aquelas que faziam minhas mãos doerem tanto que eu tinha de me segurar para não gritar.

Na saída da escola, eu corria para a loja de bebidas de meu pai na Kraft Avenue e ficava lá até a hora do jantar, brincando com as caixas vazias do depósito, esperando ele terminar. Voltávamos juntos para casa, em seu Buick azul-celeste, e às vezes parávamos na entrada da garagem para ele fumar seus Chesterfields enquanto escutava as notícias no rádio.

Roberta, minha irmã mais nova, naquela época ia a quase todos os lugares calçando sapatilhas de balé cor-de-rosa. Quando almoçávamos na lanchonete, minha mãe a levava ao banheiro das "damas" – os pezinhos cor-de-rosa iam deslizando no chão de cerâmica – enquanto meu pai me levava ao dos "cavalheiros". Na minha mente infantil, eu pensava que isso era uma imposição da vida: eu com ele, ela com ela. Damas. Cavalheiros. A da mamãe. O do papai.

Um menino do papai.

Eu era um menino do papai e continuei sendo um menino do papai até a manhã de um sábado quente e sem nuvens na primavera do meu quinto ano escolar. Tínhamos duas partidas programadas naquele dia contra os Cardinals, que usavam uniformes vermelhos de lã e eram patrocinados pela Connor's Plumbing Supply.

O sol já aquecia a nossa cozinha quando eu entrei, de meias compridas, carregando minha luva, e vi minha mãe à mesa fumando um cigarro. Minha mãe, que era uma mulher bonita, não estava bonita naquela manhã. Ela mordeu o lábio e não olhou para mim. Eu me lembro que havia um cheiro de torrada queimada que me fez pensar que ela estava aborrecida por ter estragado o café da manhã.

– Vou comer cereal – eu disse.

Peguei uma tigela no armário.

Ela pigarreou.

– A que horas é o seu jogo, querido?

– Você está resfriada? – perguntei.

Ela balançou a cabeça e levou a mão ao rosto.

– A que horas é o seu jogo?

– Não sei.

E dei de ombros. Isso foi antes de eu usar relógio.

Peguei a garrafa de leite e a caixa de flocos de milho. Despejei rápido demais e alguns flocos quicaram na tigela e caíram em cima da mesa. Minha mãe pegou-os, um por um, e colocou-os na palma da mão.

– Eu levo você – ela sussurrou. – À hora que for.

– Por que o papai não me leva? – perguntei.

– O papai não está aqui.

– Onde ele está?

Ela não respondeu.

– Quando é que ele vai voltar?

Ela esmigalhou os flocos de milho, que viraram farinha.

Desse dia em diante eu fui um menino da mamãe.

QUANDO EU DIGO QUE VI minha mãe que já tinha morrido, quero dizer exatamente isso. Eu vi minha mãe. Ela estava em pé, ao lado do banco dos reservas, com seu casaco azul-claro e um livro de bolso na mão. Não disse nada. Apenas olhou para mim.

Tentei me erguer na sua direção, mas caí para trás. Uma dor lancinante percorreu todos os meus músculos. O cérebro quis chamá-la, gritar seu nome, mas nenhum som saiu da minha garganta.

Abaixei a cabeça e juntei as palmas das mãos. Com um esforço redobrado, consegui me ajoelhar. Ergui os olhos.

Minha mãe se fora.

Eu não espero que você acredite em mim. É uma loucura, eu sei. Ninguém vê nem recebe visitas de gente morta. Ninguém escapa milagrosamente de morrer ao se jogar do alto de uma torre de água. Ninguém fica vivo quando tenta se matar da melhor forma possível, e ninguém vê sua querida mãe já falecida com um livro de bolso na mão na linha da terceira base.

Eu já pensei muito nisso, como você deve estar fazendo agora, achando que era uma alucinação, uma fantasia, o sonho de um bêbado, de um cérebro confuso pensando confusamente. Como já disse, eu não espero que você acredite em mim.

Mas foi o que aconteceu. Ela tinha estado lá. Eu a vira. Fiquei deitado no chão durante um bom tempo, depois me levantei e saí andando. Sacudi a terra e a sujeira dos joelhos e dos braços. Sangrava por dezenas de cortes em todo o corpo, na maioria pequenos, alguns maiores, e tinha gosto de sangue na boca.

Cortei caminho por um matagal que conhecia bem. O vento da manhã balançava as árvores, levantando uma pequena mas frenética tempestade de folhas amarelas. Que coisa patética, não é mesmo?

Tomei o caminho da minha antiga casa, decidido a ir até o fim.

Querido Charley,

Divirta-se bastante na escola hoje!

Vejo você na hora do almoço. Vamos tomar um milk-shake.

Amo você todos os dias.

Mamãe

(Dos papéis de Chick Benetto, aproximadamente 1954.)

Como minha mãe conheceu meu pai

MINHA MÃE SEMPRE me escrevia bilhetes. Todas as vezes que me deixava em algum lugar, ela me entregava um. Eu nunca entendi isso, porque achava que, se ela tivesse alguma coisa para me dizer, podia falar na hora – economizava papel e evitava o gosto amargo da cola do envelope na língua.

Acho que o primeiro bilhete foi no dia em que entrei para o jardim-de-infância, em 1954. Quantos anos eu tinha, cinco? O pátio estava cheio de crianças berrando e correndo. Nós nos aproximamos, eu segurando a mão dela, enquanto uma mulher com uma boina preta na cabeça organizava filas na frente dos professores. Ao ver as outras mães beijando seus filhos e indo embora, devo ter começado a chorar.

– Qual é o problema? – perguntou minha mãe.

– Não vá embora.

– Eu vou estar aqui quando você sair.

– Não.

– Não se preocupe. Eu vou estar aqui.

– E se eu não te achar?

–Você vai me achar.

– E se eu te perder?

– Você não pode perder a sua mãe, Charley.

Ela sorriu. Pôs a mão no bolso do casaco, tirou um pequeno envelope azul e me entregou.

– Olhe aqui – ela disse –, se você ficar com muita saudade de mim, abra isso.

Ela enxugou meus olhos com um lenço que tirou da bolsa, deu-me um abraço e disse até logo. Ainda posso vê-la se afastando de costas, me mandando beijos, o cabelo preso e a boca pintada com Revlon vermelho. Acenei com a carta. Acho que ela esqueceu que eu estava entrando para a escola e não sabia ler. Minha mãe era assim. Valia a intenção.

ELA CONHECEU MEU pai no Lago Pepperville, na primavera de 1944. Enquanto minha mãe nadava, meu pai e um amigo praticavam arremesso com uma bola de beisebol. O amigo fez um arremesso alto demais e a bola caiu na água. Minha mãe foi pegá-la. Meu pai mergulhou. Quando ele veio à tona com a bola na mão, bateram as cabeças um no outro. "E nunca mais paramos", ela costumava dizer.

Tiveram um namoro rápido e intenso, porque meu pai era assim, começava as coisas já pensando em ir até o fim. Era um rapaz alto e forte, usava topete e passeava no Lasalle azul e branco do pai. Tinha acabado de concluir o secundário. Quando estourou a Segunda Guerra Mundial, ele alistou-se assim que pôde, dizendo à minha mãe que queria "matar mais inimigos do que qualquer cara da cidade". Embarcou para a Itália e foi juntar-se a uma unidade estacionada no Vale do Pó, perto de Bolonha e dos Montes Apeninos. Numa carta enviada de lá em 1945, pediu minha mãe em casamento. "Seja minha esposa", escreveu, o que achei mais parecido com uma ordem. Minha mãe respondeu que sim, numa carta escrita em papel de linho, muito caro para seus recursos, mas que ela comprou mesmo assim – minha mãe dava tanto valor às palavras quanto ao meio que usava para transmiti-las.

Duas semanas depois que meu pai recebeu a carta, os alemães assinaram a rendição. Ele estava voltando para casa.

Minha teoria é que ele teve menos guerra do que gostaria. Por isso, fez a sua guerra particular contra nós.

MEU PAI SE CHAMAVA Leonardo, mas era conhecido como Len. Minha mãe se chamava Pauline, mas todo mundo a chamava de "Posey", como na cantiga de roda *"a pocketful of posey"*. Tinha os olhos grandes e amendoados, os cabelos escuros e lisos, que costumava deixar presos, e uma pele aveludada. As pessoas costumavam dizer que ela se parecia com Audrey Hepburn, a atriz de cinema. Não havia, em nossa cidadezinha, muitas mulheres que merecessem essa descrição. Ela adorava maquiar-se – rímel, delineador, ruge, essas coisas – e, embora a maioria das pessoas a considerasse "divertida" e "petulante" e, mais tarde, "excêntrica" e "cabeça-dura", durante a maior parte de minha infância eu a considerei simplesmente implicante. Por que não está de galocha? Cadê o casaco? Já fez o dever de casa? Por que rasgou a calça?

Ela corrigia a minha gramática o tempo todo.

– Eu e Roberta vamos... – eu começava.

– Roberta e *eu* vamos – ela interrompia.

– Eu e Jimmy queremos...

– Jimmy e *eu* queremos – ela dizia.

A mente da criança conserva imagens de seus pais em determinadas atitudes. Eu vejo minha mãe sempre de batom, inclinada sobre mim, sacudindo o dedo, implorando-me para ser melhor do que eu era. A imagem de meu pai é a de um homem sempre em repouso, com um ombro encostado na parede e um cigarro entre os dedos, observando para ver se eu vou boiar ou afundar.

Olhando para trás, eu penso que poderia ter me dado conta de que um deles se inclinava em minha direção e o outro, para longe de mim. Mas eu era uma criança, e o que é que as crianças sabem?

MINHA MÃE ERA protestante de origem francesa, e meu pai católico, de família italiana. A união dos dois produziu um excesso de Deus, de culpa e de molhos. Brigavam o tempo todo. Por causa de crianças, de comida e de religião. Meu pai colocava uma imagem de Jesus na parede externa do banheiro e, quando ia trabalhar, minha mãe a pendurava num lugar menos visível. Ele chegava em casa e gritava: "Pelo amor de Deus, Posey, você não pode tirar Jesus do lugar", e ela respondia: "É só uma imagem, Len. Você acha que Jesus gosta de ficar perto do banheiro?"

E ele colocava Jesus de volta.

E no dia seguinte ela o tirava de lá.

Era isso o tempo todo.

Eles eram uma mescla de culturas e meios sociais, mas na democracia da minha família o voto do meu pai contava em dobro. Ele decidia o cardápio do jantar, a cor da pintura da casa, o banco de que seríamos clientes e o canal que íamos assistir na nossa Zenith preto-e-branco. No dia em que nasci, ele informou à minha mãe: "O menino vai ser batizado na Igreja Católica." E estava resolvido.

O mais curioso disso tudo é que ele mesmo não era religioso. Depois da guerra, meu pai, que era dono de uma loja de bebidas, estava mais interessado em lucros do que em profecias. E no que me dizia respeito, a única coisa que eu devia adorar era o beisebol. Ele começou a arremessar para mim antes de eu aprender a andar e deu-me um bastão de madeira antes de minha mãe me deixar usar tesoura. Anunciava que um dia eu iria jogar nas divisões principais se tivesse um "plano" e o "seguisse à risca".

É claro que, nessa idade, você se encaixa nos planos dos seus pais, não nos seus.

Foi assim que desde os sete anos de idade eu passei a vasculhar os jornais em busca das fichas técnicas das partidas dos times em que eu iria jogar no futuro. Deixava uma luva na loja do meu pai para ele arremessar para mim no estacionamento sempre que podia roubar uns minutinhos do trabalho. No domingo eu ia à missa com sapatos de beisebol porque, assim que acabava o último hino, nós saíamos para os jogos da Legião Americana. Quando ouvia alguém dizer que a igreja era a "casa de Deus", eu ficava preocupado, achando que o Senhor não devia gostar das travas dos meus sapatos arrastando no seu piso. Uma vez, quando tentei andar na ponta dos pés, meu pai sussurrou no meu ouvido: "Que diabos você está fazendo?", e eu abaixei os pés rapidamente.

MINHA MÃE, POR SUA VEZ, não dava a mínima para o beisebol. Filha única de pais pobres, durante a guerra ela teve de largar a escola para trabalhar. Tirou o diploma do secundário estudando à noite e depois cursou a escola de enfermagem. Em sua cabeça só havia para mim os livros e a universidade, que abririam todas as portas. O máximo que ela sabia dizer sobre o beisebol era que "ele faz você respirar um pouco de ar fresco".

Mas ela comparecia aos jogos, com seus grandes óculos

escuros e o cabelo sempre bem penteado, cortesia do salão de beleza local. Às vezes, quando eu a procurava do banco dos reservas, minha mãe estava olhando para o horizonte. Mas, quando era a minha vez de rebater, ela aplaudia e gritava "Aí, Charley!", e eu acho que aquele grito era tudo o que importava para mim. Meu pai, que foi técnico de todos os times em que joguei até o dia em que eles se separaram, uma vez me pegou olhando na direção dela e gritou: "Fica de olho na bola, Chick! Lá em cima não tem nada pra te ajudar!"

Mamãe, eu acho, não fazia parte do "plano".

MESMO ASSIM, EU SÓ SEI DIZER que adorava a minha mãe do jeito que todo menino adora, como uma coisa simplesmente natural. Era muito fácil no caso dela. Primeiro, porque minha mãe era engraçada. Não se importava de lambuzar o rosto todo de sorvete se isso me fizesse rir. Imitava as vozes mais esquisitas, como a do marinheiro Popeye, e a rouquidão de Louis Armstrong cantando *"If ya ain't got it in ya, ya can't blow it out"*. Fazia cócegas em mim e me deixava fazer nela, apertando os cotovelos contra o corpo enquanto ria. Toda noite ela me aconchegava na cama, acariciava meu cabelo e pedia: "Dá um beijo na sua mãe." Dizia que eu era inteligente e que ser inteligente era um privilégio. Insistia para que eu lesse um livro por semana e me levava sempre à biblioteca para me estimular a ler. Às vezes ela se vestia de uma forma espalhafatosa e cantava em voz alta a música que estava tocando, o que me aborrecia. Mas nunca houve, nem por um momento, qualquer problema de confiança entre nós.

Se minha mãe dizia, eu acreditava.

Mas não se engane, ela não me dava moleza. Ralhava comigo. Me punha de castigo. Me dava palmadas. Mas me amava. Amava de verdade. Ela me amava quando eu caía do balanço. Ela me amava quando eu entrava em casa com os sapatos enlameados. Ela me amava quando me via vomitando, com o nariz escorrendo, com os joelhos sangrando. Ela me amava do jeito que eu era, nos bons e nos maus momentos. Seu amor por mim era um poço sem fundo.

Seu único defeito era não fazer com que eu me empenhasse para merecer todo aquele amor.

A minha teoria é a seguinte: as crianças perseguem o amor que lhes escapa, no caso, o do meu pai. Ele o mantinha bem guardado em algum lugar, como documentos numa pasta. E eu ficava tentando abri-la.

Anos mais tarde, depois que ela morreu, eu fiz uma lista das Ocasiões em que minha mãe tomou meu partido e outra das Ocasiões em que eu não tomei o partido da minha mãe. Que triste desequilíbrio. Por que será que as crianças tomam o partido de um dos pais e deixam o outro em segundo plano?

Vai ver é como meu pai dizia. Você pode ser um menino da mamãe ou um menino do papai, mas não pode ser os dois. Por isso você se agarra àquele que acha que pode perder.

Ocasiões em que minha mãe tomou meu partido

Tenho cinco anos de idade. Estamos a caminho do mercado Fanelli's. De sua varanda, uma vizinha de roupão e bobes cor-de-rosa no cabelo abre a porta e chama a minha mãe. Enquanto elas conversam eu vou até o quintal da casa.

De repente, surgido do nada, um pastor alemão avança sobre mim. Aúúúú! Ele está amarrado ao suporte de um varal. Aúúúúú! E se ergue sobre as patas traseiras, esticando a guia. Aúúúúú!

Dou meia-volta e corro, gritando. Minha mãe vem correndo.

– O que foi? – ela grita, pegando-me pelos cotovelos. – O que foi que aconteceu?

– Um cachorro!

Ela está ofegante.

– Um cachorro? Onde? Aqui perto?

Faço que sim com a cabeça, chorando.

Ela dá a volta na casa comigo. Lá está o cachorro. Ele uiva novamente. Aúúúúúú! Eu dou um salto para trás. Mas minha mãe me empurra para a frente. E late. Minha mãe late. Faz o melhor latido que eu já vi um ser humano fazer. O cachorro se agacha, ganindo. Minha mãe se vira para mim e diz:

– Você tem de mostrar a eles quem é que manda, Charley.

(De uma lista num caderno de notas encontrado entre os pertences de Chick Benetto.)

Chick retorna à velha casa

O SOL DA MANHÃ, logo acima da linha do horizonte, chegou até mim por entre as casas do meu antigo bairro, como um arremesso raso. Protegi os olhos com as mãos. Era começo de outubro, as folhas já se amontoavam junto ao meio-fio – mais folhas do que eu me lembrava nos outonos que passei aqui – e havia menos azul no céu. Acho que o que a gente mais repara depois de passar um tempo longe de casa é como as árvores são muito maiores na nossa lembrança.

Pepperville Beach. Você sabe a origem desse nome? Chega a ser constrangedor. Alguns anos atrás, um construtor que achava que a cidade – chamada então de Pepperville Lake – atrairia mais atenção se tivesse uma praia, mesmo que não fosse de mar, mandou trazer uns caminhões de areia e criou uma praia na beira do lago. Aí ele entrou para a Câmara de Comércio e conseguiu mudar o nome para Pepperville Beach, apesar de a "praia" ter balanço, escorrega e espaço suficiente apenas para umas 12 famílias se acomodarem sem ter de sentar na toalha dos outros. Quando eu era rapazinho, aquele pedaço de areia não enganava ninguém e era motivo de piada. "Ei, cara, será que vai dar praia hoje?" "Com certeza. Só não sei se a praia vai dar."

De todo modo, como nossa casa ficava perto do lago – e da "praia" –, minha irmã e eu a conservamos depois que nossa mãe morreu, talvez por acreditar que um dia ela valeria algum dinheiro. Para ser sincero, eu não tive coragem de me desfazer dela.

Agora eu caminhava na direção da casa com as costas curvadas, como um fugitivo. Eu abandonara a cena de um acidente, e àquela altura alguém já devia ter achado o carro, o caminhão, o painel publicitário destruído e o revólver. Cheio de dor, ensangüentado e confuso, eu esperava ouvir as sirenes da polícia a qualquer momento – um motivo a mais para me matar o quanto antes.

Subi cambaleando os degraus da varanda. Peguei a chave que deixávamos escondida na floreira, debaixo de uma pedra artificial (idéia da minha irmã), e, depois de olhar por sobre os ombros para os dois lados e não ver nada – polícia, pessoas, um carro sequer –, empurrei a porta e entrei.

A CASA CHEIRAVA A MOFO, mas havia um vago odor adocicado de sabão para limpar tapetes, como se alguém (o zelador que pagávamos?) os tivesse lavado recentemente. Passei pelo banheiro do corredor e pelo corrimão em que minha irmã e eu costumávamos escorregar quando éramos crianças. Entrei na cozinha, com seu velho piso de cerâmica e seus armários de cerejeira. Fui imediatamente à geladeira, procurando algo alcoólico; em mim, isso já era um reflexo.

E dei um passo atrás.

Havia comida lá dentro.

Potinhos de plástico. Um resto de lasanha. Leite desnatado. Suco de maçã. Iogurte de framboesa. Por um momento pensei que houvesse alguém morando na casa, um invasor, quem sabe – o preço que pagávamos por tê-la ignorado durante tanto tempo.

Abri um armário. Tinha chá Lipton e um vidro de café descafeinado. Abri outro. Açúcar. Sal. Páprica. Orégano. Vi uma travessa dentro da pia, imersa em bolhas de sabão. Levantei e abaixei a travessa, bem devagar, como para colocá-la de volta no seu exato lugar.

E então ouvi algo.

Vinha de cima.

– Charley?

Outra vez.

– Charley?

Era a voz de minha mãe.

Saí correndo pela porta dos fundos com os dedos cheios de sabão.

Ocasiões em que eu não tomei o partido da minha mãe

Tenho seis anos de idade. É Halloween. A escola está fazendo o seu desfile anual. Todos os meninos irão percorrer algumas quadras pela vizinhança.

– Compre uma fantasia para ele – diz meu pai. – Tem umas bem baratas.

Mas minha mãe decidiu que não. Como é o meu primeiro desfile, ela vai fazer uma fantasia para mim: de múmia, meu monstro favorito.

Ela arranja uns trapos de pano branco, umas toalhas velhas, e os enrola em mim, prendendo-os com alfinetes de fralda. Depois, cobre os trapos com uma camada de papel higiênico e fita adesiva. Demora, mas quando a fantasia fica pronta, eu me olho no espelho e digo: "Sou uma múmia." Levanto os ombros e me balanço de um lado para o outro.

– Uiii, que medo! – exclama minha mãe.

Ela me leva de carro para a escola. Começamos o desfile. À medida que caminho, os trapos vão afrouxando. Duas quadras depois, começa a chover. – Outra coisa de que me lembro é do papel higiênico se dissolvendo. Os trapos despencam e se amontoam nos meus tornozelos, pulsos e pescoço, deixando aparecer a camiseta e o pijama que minha mãe escolheu como roupas de baixo.

– Olha lá o Charley – berram as outras crianças. E riem de mim. Minhas bochechas ardem. Eu quero desaparecer, mas aonde se pode ir no meio de um desfile?

Ao chegarmos ao pátio da escola, onde os pais esperam seus filhos com câmeras fotográficas, sou um lamentável monte de trapos e papel higiênico. A primeira pessoa que vejo é minha mãe. Ela leva a mão à boca quando me vê naquele estado. Eu desato a chorar.

– Você destruiu a minha vida! – eu grito.

– CHARLEY?

O que lembro com mais força é da rapidez com que perdi o fôlego, escondido na varanda dos fundos. Um segundo antes, eu estava inspecionando a geladeira; no instante seguinte, meu coração batia tão depressa que parecia não haver no mundo oxigênio suficiente para abastecê-lo. Eu tremia. A janela da cozinha estava atrás de mim, mas eu não ousava olhar para dentro de casa. Primeiro eu tinha visto a minha mãe, depois havia escutado a sua voz. Eu já sofrera algumas fraturas ao longo da vida, mas dessa vez tive medo de ter afetado a cabeça.

E lá fiquei, na varanda dos fundos, o peito arfando e os olhos pregados no pedaço de chão à minha frente. Quando éramos crianças, nós chamávamos aquele lugar de "quintal", embora não passasse de um quadradinho de grama. Pensei em atravessá-lo e pular para o terreno vizinho.

Aí a porta se abriu.

E minha mãe saiu.

Minha mãe.

Ali mesmo, na varanda dos fundos.

Ela virou-se para mim.

E disse:

– O que você está fazendo aqui fora, Charley? Está frio.

ACHO QUE NÃO CONSIGO EXPLICAR o salto que dei. Foi como saltar para fora do planeta. De um lado estão todas as coisas que a gente sabe e de outro, todas as coisas que acontecem. Quando os dois não batem, você escolhe. Eu vi minha mãe, viva, na minha frente. Eu a ouvi dizer meu nome outra vez. "Charley?" Ela era a única pessoa que me chamava assim.

Seria uma alucinação? Eu devia ir ao encontro de minha mãe ou ela era só uma bolha prestes a estourar? Sinceramente, a essa altura meus braços e pernas pareciam pertencer a outra pessoa.

– Charley? O que foi que aconteceu? Você está todo machucado!

Ela vestia uma calça azul e um suéter branco – arrumada como sempre, por mais cedo que fosse – e não parecia mais velha do que aparentava quando eu a vira pela última vez, no dia de seu aniversário de 79 anos, com os óculos de aro vermelho que ganhara de presente. Ela levantou suavemente as mãos, acenou-me com os olhos e – eu não sei se foi por causa de sua pele, seu cabelo, seus óculos, o modo de abrir a porta dos fundos como fazia quando eu atirava bolas de tênis no telhado – o fato é que alguma coisa dentro de mim derreteu, como se o rosto dela emitisse calor, e desceu pelas minhas costas, até os tornozelos. E então, algo se rompeu – a barreira entre a crença e a descrença – e eu quase ouvi o estalo.

Entreguei os pontos.

Saltei do planeta.

– Charley – ela disse –, qual é o problema?

Fiz o que você teria feito.

Abracei minha mãe como se nunca mais fosse deixá-la partir.

Ocasiões em que minha mãe tomou meu partido

Estou com oito anos. Tenho um dever de casa para fazer. Devo explicar para a turma: "O que causa o eco?"

Na loja, depois da aula, pergunto ao meu pai:

– O que causa o eco?

Ele está curvado sobre uma prateleira, checando o estoque com o lápis.

– Eu não sei, Chick. É como um ricochete.

– Ele acontece nas montanhas, não é?

– Hein? – meu pai diz, contando as garrafas. Anota números em sua prancheta.

– Você não esteve nas montanhas durante a guerra?

Ele me lança um olhar.

– Por que você está me perguntando isso?

E retorna à sua prancheta.

Então, nessa mesma noite, eu pergunto à minha mãe. O que causa o eco? Ela pega o dicionário e se senta comigo na sala.

– Deixa ele fazer sozinho – dispara meu pai.

– Len, eu quero ajudar – ela retruca.

E passa uma hora inteira estudando comigo. Decoro as frases e depois ensaio, em pé, na frente dela.

– O que causa o eco? – ela começa.

– A persistência do som depois que cessa a fonte – eu respondo.

– O que é indispensável para haver eco?

– O som tem de refletir em algum objeto.

– Quando se pode ouvir um eco?

– Quando tudo está em silêncio e os outros sons são absorvidos.

Ela sorri.

– Ótimo. – E diz: – Eco. – Em seguida, cobre a boca com a mão e murmura: – Eco, eco, eco.

Minha irmã, que assistia à nossa apresentação, aponta e grita:

– É a mamãe que está falando! Eu estou vendo!

Meu pai liga a televisão.

– Quanta perda de tempo – ele diz.

A melodia não é mais a mesma

VOCÊ SE LEMBRA daquela canção "Isso pode ser o começo de algo importante"? Era uma música rápida e animada, geralmente cantada por um cara de smoking na frente de uma orquestra. Dizia mais ou menos o seguinte:

Você anda pela rua, ou está numa festa,
Ou então está sozinho e se dá conta
De que olha nos olhos de alguém, e então percebe
Que isso pode ser o começo de algo importante.

Minha mãe adorava essa canção. Não me pergunte por quê. Ela era tocada na abertura do Steve Allen Show, na década de 1950. Eu me lembro do programa em preto-e-branco, embora naquela época tudo parecesse ser em preto-e-branco. De qualquer modo, minha mãe dizia que essa canção tinha muito "suingue", era assim que ela falava – "Aahhh, essa tem um bocado de suingue!" –, e sempre que tocava no rádio ela estalava os dedos como se estivesse regendo a orquestra. Nós tínhamos uma vitrola, e certa vez ela ganhou de aniversário um disco do Bobby Darin. Depois do jantar, enquanto lavava a louça, minha mãe botava o disco para tocar e cantava junto. Isso acontecia quando meu pai ainda morava conosco. Ele ficava lendo o jornal, e ela ia até perto dele e batucava em seus ombros cantando "Isso pode ser o começo de algo importante". Ele, é claro, não dava a mínima. Aí ela vinha para perto de mim e fazia como se estivesse tocando bateria no meu peito, enquanto cantava junto com Bobby Darin.

Você almoça no Twenty-One preocupada com o regime,
Rejeita uma charlote, um figo só já basta,
E no claro céu azul de repente só tem uma garota e um cara,
Isso pode ser o começo de algo importante.

Eu tinha vontade de rir – principalmente quando ela dizia "figo"–, mas, como meu pai ficava sério, rir pareceria traição. Minha mãe, então, começava a me fazer cócegas, e eu não agüentava.

– Isso pode ser o começo de algo importante – ela dizia –, meu meninão, meninão, meninão, meninão, meninão.

Ela botava essa música para tocar todas as noites. Mas, depois que meu pai foi embora, ela nunca mais tocou. O disco de Bobby Darin ficou na prateleira, e a vitrola acumulava poeira. No início, eu achei que ela tinha mudado de gosto musical, como acontecia com as crianças que num dia achavam Johnnie Ray um cantor genial e no outro chegavam à conclusão de que Gene Vincent era muito melhor. Mais tarde eu me dei conta de que ela não queria se lembrar de como "algo importante" tinha dado errado.

O encontro dentro de casa

A MESA DA NOSSA ANTIGA COZINHA era redonda, feita de madeira de carvalho. Uma tarde, quando ainda estávamos na escola primária, minha irmã e eu começamos a gravar nossos nomes nela com facas de cortar carne. Ainda não tínhamos terminado quando ouvimos a porta se abrir – era nossa mãe voltando do trabalho. Sem pestanejar, jogamos as facas de volta na gaveta. Minha irmã pegou a maior coisa que conseguiu encontrar, uma garrafa grande de suco de maçã, e colocou em cima das letras. Quando minha mãe entrou, vestida com o uniforme de enfermeira e com os braços cheios de revistas, acho que dissemos "Oi, mãe" rápido demais, porque ela logo desconfiou. Dá para ver isso imediatamente no rosto da mãe da gente, aquele olhar de "O que foi que vocês aprontaram?". Talvez porque estávamos, às cinco e meia da tarde, sentados à mesa onde só havia uma garrafa de suco de maçã.

Fosse como fosse, sem largar as revistas, minha mãe empurrou a garrafa com o cotovelo. Ao se deparar com as inscrições CHAR e ROBER – que foi até onde chegamos – ela deixou escapar um gemido exasperado, algo como um "Uhhhrrr!". E gritou: "Bonito, muito bonito mesmo!" Na minha mente infantil, eu achei que talvez não fosse tão ruim. Bonito é bonito, não é mesmo?

Meu pai estava viajando naqueles dias, mas minha mãe nos ameaçou com a cólera dele quando chegasse em casa. Naquela mesma noite, porém, quando nos sentamos à mesa para comer bolo de carne recheado com ovo cozido – uma receita que ela havia lido em algum lugar, talvez em alguma daquelas revistas –, minha irmã e eu ficamos contemplando a nossa obra.

– Fiquem sabendo que estragaram completamente a mesa – disse minha mãe.

– Desculpe – nós dois murmuramos.

– E que podiam ter cortado os dedos com essas facas.

Ouvimos a repreensão sentados, de cabeça baixa, na medida certa da penitência. Mas estávamos os dois pensando a mesma coisa. Só minha irmã teve coragem de dizer.

– A gente pode pelo menos terminar, para os nossos nomes ficarem escritos direito?

Eu parei de respirar um momento, abismado com a audácia dela. Minha mãe fuzilou-a com o olhar. Então, desatou a rir. E minha irmã caiu na gargalhada. E eu ri tanto que cuspi uma bocada inteira de bolo de carne.

Nunca terminamos de escrever nossos nomes. Eles permaneceram lá daquele jeito, CHAR e ROBER. Meu pai, é claro, ficou uma fera quando chegou em casa. Mas eu acho que, com o passar dos anos, muito depois de nossa partida de Pepperville Beach, minha mãe passou a gostar da idéia de termos deixado alguma coisa para trás, mesmo que fossem apenas os nossos nomes inacabados na mesa da cozinha.

AGORA EU ESTAVA SENTADO à mesa da cozinha, olhando as inscrições, quando minha mãe – seu fantasma, ou o que fosse – veio da outra sala com um frasco de anti-séptico e gaze. Eu a observei derramar o anti-séptico na gaze, pegar o meu braço e arregaçar a manga da minha camisa, como se eu fosse um menino que tivesse caído do balanço.

Talvez você esteja pensando: por que você não gritou contra o absurdo daquela situação, as evidências que tornavam tudo aquilo impossível, sendo a primeira delas "Mãe, você morreu!"?

Só posso responder dizendo que isso só faz sentido para mim, como para você, agora, ao contar a história. Mas naquele momento, não. Naquele momento eu estava tão aturdido por rever minha mãe, que não queria achar que fosse impossível. Era como um sonho, e talvez parte de mim achasse que eu estava sonhando, não sei. Se você já perdeu a sua mãe, é capaz de imaginar como seria vê-la novamente na sua frente, perto o suficiente para tocá-la e sentir seu cheiro. Eu sabia que tínhamos enterrado minha mãe. Eu me lembrava do enterro. Eu me lembrava de ter jogado uma pá de terra simbólica sobre o seu caixão.

Mas agora, com ela sentada à minha frente, limpando as feridas do meu rosto e dos meus braços, franzindo o rosto ao ver os cortes e murmurando "Olha só como está isso", não sei dizer o que senti. Aquilo derrubou minhas defesas. Já fazia muito tempo que ninguém ficava assim perto de mim, enrolando a manga da minha camisa com tanta ternura. Minha mãe gostava de mim. Dava-me toda a atenção do mundo. Quando me faltou até o amor-próprio necessário para me manter vivo, ela limpou minhas feridas e eu senti de novo o que é ser um filho. Pousei a cabeça em seu colo tão naturalmente quanto se pousa no travesseiro à noite. Eu não queria que aquilo terminasse. Esta é a melhor maneira que encontrei para explicar o que senti. Eu sabia que era impossível. Mas não queria que terminasse.

– Mãe? – sussurrei.

Fazia muito tempo que eu não dizia isso. Quando a morte leva a mãe da gente, rouba essa palavra para sempre.

– Mãe?

É apenas um som, eu sei, um murmúrio anasalado interrompido pela abertura dos lábios. Mas existem zilhões de palavras neste planeta e nenhuma sai da nossa boca do mesmo jeito que essa.

– Mãe?

Ela limpava o meu braço delicadamente com a gaze.

– Charley – ela suspirou. – Olha só o que você foi arranjar.

Ocasiões em que minha mãe tomou meu partido

Tenho nove anos de idade. Estou na biblioteca local. A mulher atrás do balcão me olha por cima dos óculos. Escolhi Vinte mil léguas submarinas, *de Júlio Verne. Gosto do desenho da capa e da idéia de as pessoas morarem no fundo do oceano. Eu não havia percebido como as palavras eram grandes e as letras, pequenininhas. A bibliotecária me examina. Trago a camisa para fora da calça e um sapato desamarrado.*

– Este é muito difícil para você – diz.

Eu a observo enquanto ela se vira e coloca o livro numa prateleira. Poderia igualmente estar trancando num cofre. Volto para a seção infantil e escolho um livro ilustrado com a história de um macaco. Retorno ao balcão. Este ela carimba sem comentar.

Quando minha mãe chega para me buscar, eu me atiro no banco da frente do carro. Ela vê o livro que escolhi.

– Esse você já não leu? – ela pergunta.

– A moça não me deixou trazer o que eu queria.

– Que moça?

– A moça da biblioteca.

Ela desliga o carro.

– E por que ela não deixou?

– Disse que era muito difícil.

– O que era muito difícil?

– O livro.

Minha mãe me empurra para fora do carro. Entra comigo na biblioteca e vai até o balcão.

– Sou a Sra. Benetto. Este é o meu filho Charles. A senhora disse que o livro que ele escolheu era muito difícil para ele?

A bibliotecária fica rígida. É uma senhora mais velha, e eu me surpreendo com o tom de voz da minha mãe. Ela não costuma falar assim com as pessoas idosas.

– Seu filho queria levar Vinte mil léguas submarinas, *de Júlio Verne – diz a bibliotecária, tocando os óculos. – Ele é muito pequeno. Olhe para ele.*

Eu abaixo a cabeça. Olhe para mim.

– Cadê o livro? – pergunta minha mãe.

– Perdão?

– Cadê o livro?

A mulher estende os braços até a prateleira e deixa cair o livro sobre o balcão, como quem faz questão de mostrar como é pesado.

Minha mãe pega o livro e o enfia em meus braços.

– Nunca diga a uma criança que uma coisa é difícil demais para ela – fuzila. – E jamais, JAMAIS, para esta criança.

A próxima coisa de que me lembro é que sou empurrado porta afora, firmemente agarrado ao livro de Júlio Verne. Sinto-me como se tivéssemos acabado de roubar um banco, minha mãe e eu, e me pergunto se vamos ficar encrencados.

Ocasiões em que eu não tomei o partido da minha mãe

Estamos à mesa. Minha mãe serve o jantar. Ziti assado com molho de carne.

– Ainda não deu certo – diz meu pai.

– De novo – suspira minha mãe.

– De novo – arremeda minha irmã. Ela roda o garfo na boca.

– Cuidado para não espetar esse garfo na boca – diz minha mãe, puxando a mão da minha irmã.

– É qualquer coisa com o queijo, ou com o azeite – fala meu pai, olhando para a comida como se o repugnasse.

– Já tentei fazer de dez maneiras diferentes – diz minha mãe.

– Não exagera, Posey. É demais pedir para você fazer alguma coisa que eu consiga comer?

– Você não consegue comer? Agora é intragável?

– Meu Deus – ele geme. – Eu preciso disso?

Minha mãe pára e olha para ele.

– Não. Não precisa – ela coloca uma porção no meu prato, com raiva. – Mas eu preciso, não é? Eu preciso de uma boa briga. Come, Charley.

– Você botou demais – eu reclamo.

– Come o que eu botei no seu prato – ela dispara.

– É muito!

– Mamãe – chama minha irmã.

– O que estou dizendo, Posey, é que, se eu te peço para fazer, é porque você é capaz. Só isso. Eu já falei um milhão de vezes que

o gosto não está bom. E se não está bom, não está bom. Você quer que eu minta só para te deixar feliz?

– Mamãe – repete minha irmã, balançando o garfo.

– Ahhrr – arfa minha mãe, abaixando o garfo da minha irmã. – Pára com isso, Roberta. Sabe o que mais, Len? Faz você da próxima vez. Você e essa sua cozinha italiana. Come, Charley!

Meu pai dá um sorriso sarcástico e balança a cabeça.

– É sempre a mesma história – ele resmunga.

Eu o observo. Ele me olha. Ponho rapidamente uma garfada na boca. Ele faz um sinal com o queixo.

– O que você acha do ziti que a sua mãe fez? – ele pergunta.

Eu mastigo. Engulo. Olho para ele. Olho para a minha mãe. Ela solta os ombros, exasperada. Agora os dois estão esperando.

– Não está bom – eu murmuro, olhando para o meu pai.

Ele bufa e lança um olhar para a minha mãe.

– Até o menino sabe – ele diz.

Um recomeço

– ENTÃO VOCÊ PODE FICAR o dia inteiro? – perguntou minha mãe.

Ela estava em pé, junto ao fogão, fazendo ovos mexidos com uma espátula de plástico. A torrada já saltara, e a manteiga estava sobre a mesa. Ao lado, uma xícara de café. Eu me deixei cair na cadeira, ainda atordoado, mal conseguindo engolir. Sentia que, se me movesse rápido demais, tudo explodiria. Com um avental amarrado na cintura, ela agia, desde o momento em que eu a vira, como se fosse apenas um dia igual aos outros. Como se eu tivesse vindo visitá-la de surpresa e ela, em retribuição, estivesse fazendo o meu café da manhã.

–Você pode, Charley? – ela perguntou. – Passar um dia com a sua mãe?

Ouvi o chiado dos ovos fritando na manteiga.

– Hein? – ela disse.

Minha mãe ergueu a frigideira e se aproximou.

– Por que você está tão calado?

Levei alguns segundos para achar minha voz, como se estivesse tentando lembrar as instruções de como proceder. Como é que se fala com os mortos? O vocabulário é outro?

Tem algum código secreto?

– Mãe – sussurrei finalmente. – Isto é impossível.

Ela fez os ovos deslizarem da frigideira e começou a cortá-los no meu prato. Eu observava suas mãos cheias de veias trabalhando com a espátula.

– Coma – ela disse.

EM ALGUM MOMENTO da história dos Estados Unidos as coisas devem ter mudado, e os pais que se divorciavam passaram a transmitir as informações para os filhos, como se constituíssem um time. Eles os faziam sentar e explicavam-lhes as novas regras. Minha família desmoronou antes da idade das luzes; quando meu pai foi embora, ele foi embora. Ponto final.

Depois de alguns dias chorando, minha mãe colocou batom, passou rímel nos cílios, fez umas batatas fritas e disse, enquanto nos servia: "O papai não vai mais morar aqui." E foi isso. Era como uma mudança de cenário numa peça de teatro.

Eu nem me lembro de quando meu pai foi pegar as coisas dele. Um dia nós voltamos da escola e a casa parecia maior. Havia mais espaço no armário do hall de entrada. Na garagem, faltavam ferramentas e algumas caixas. Eu me lembro da minha irmã chorando e perguntando "O papai foi embora por minha causa?" e prometendo à minha mãe que iria se comportar melhor se ele voltasse para casa. Eu me lembro de ter tido vontade de chorar, mas a essa altura já tinha percebido que agora éramos três, e não quatro, e que eu era o único homem na casa. Aos 11 anos me senti na obrigação de me comportar como um homem.

Além disso, sempre que eu chorava, meu pai costumava me dizer para "ter coragem": "Coragem, garoto, coragem." Como todos os filhos de pais separados, eu tentava me comportar de um modo que trouxesse o ausente de volta. Portanto, sem lágrimas, Chick. Você, não.

NOS PRIMEIROS MESES pensávamos que fosse passageiro. Uma rusga. Um tempo que eles estavam dando. Os pais da gente brigam, não é verdade? Os nossos brigavam. Minha irmã e eu nos deitávamos no alto da escada para ouvi-los brigando, eu de camiseta branca, ela de pijama e sapatilhas.

Às vezes eles brigavam por nossa causa.

– Por que você não fala com eles ao menos uma vez, Len?

– Não é tão complicado assim!

– É, sim! E sou sempre a bruxa que tem que dizer "não"!

Ou sobre trabalho.

– Você podia dar mais atenção aqui em casa, Posey! Essas pessoas do hospital não são as únicas que importam!

– São doentes, Len. Você quer que eu lhes diga que sinto muito, mas meu marido precisa que eu vá passar suas camisas?

Ou sobre meu beisebol.

– Isso está demais, Len!

– Ele pode ir longe, Posey.

– Olhe para o menino! Vive exausto!

Às vezes, sentada nos degraus da escada, minha irmã colocava as mãos nos ouvidos e chorava. Mas eu tentava escutar. Era como me esgueirar para dentro do mundo dos adultos. Eu sabia que meu pai trabalhava até tarde e que nos últimos anos viajava de um dia para o outro para se encontrar com os distribuidores, dizendo à minha mãe: "Posey, se eu não agradar a esses caras, eles me estripam como um peixe!" Eu sabia que ele estava abrindo uma outra loja em Collingswood, a cerca de uma hora de distância, e trabalhava lá alguns dias por semana. Eu sabia que outra loja significaria "mais dinheiro e um carro melhor". Eu também sabia que minha mãe não estava gostando nada daquilo.

Sim, eles brigavam, mas nunca me passou pela cabeça que isso teria alguma conseqüência. Os pais não se separavam naquela época. Eles resolviam as coisas. E ficavam no time.

Eu me lembro de um casamento em que meu pai foi de smoking alugado e minha mãe, com um vistoso vestido vermelho. A certa altura da festa eles se levantaram para dançar. Vi minha mãe levantar a mão esquerda e meu pai pegá-la com sua mãozona. Embora ainda fosse uma criança, eu tinha certeza de que não havia casal mais elegante no salão. Meu pai era alto, de porte atlético, e, ao contrário de outros pais, não tinha barriga alguma embaixo da camisa branca plissada. E minha mãe? Ah, ela ria de felicidade, a boca pintada de batom cremoso. E quando ela parecia feliz não havia ninguém mais lindo. Ela dançava tão leve, e seu vestido brilhava tanto quando ela se movia, que era impossível não ficar olhando. Cheguei a ouvir umas mulheres mais velhas, na mesa ao lado, murmurando "É um pouco demais" e "Ela devia ser mais discreta". Mas eu sabia que era só ciúme, porque minha mãe era muito mais bonita do que elas.

Era assim que eu via os meus pais. Eles brigavam, mas dançavam. Depois que meu pai desapareceu, pensei muitas vezes naquele casamento. E quase me convenci de que meu pai acabaria voltando para ver minha mãe naquele vestido vermelho. Como é que ele podia não voltar? Mas, com o tempo, parei de pensar nisso. Com o tempo, passei a ver aquele episódio como se vê uma foto esmaecida de férias passadas. É só um lugar onde a gente esteve muito tempo atrás.

– O que você vai querer fazer este ano? – minha mãe me perguntou no primeiro setembro depois da separação. As aulas iriam começar, e ela falava sobre "novos começos" e "novos projetos". Minha irmã escolheu um teatro de marionetes. Eu olhei para a minha mãe e fiz a primeira de muitas caras emburradas.

– Quero jogar beisebol – eu disse.

Uma refeição juntos

NÃO SEI QUANTO TEMPO se passou naquela cozinha – eu ainda me sentia grogue, zonzo, como quando você bate com a cabeça no porta-malas do carro –, mas, a certa altura, talvez quando minha mãe disse "Coma", eu me rendi fisicamente à idéia de estar ali. Fiz o que minha mãe mandou.

Coloquei uma garfada de ovos mexidos na boca.

Foi como se minha língua despertasse. Depois de dois dias sem comer nada, atirei-me sobre a comida com a sofreguidão de um presidiário. Mastigar espantou da minha mente a impossibilidade daquela situação. E posso ser honesto? Estava absolutamente delicioso e familiar. Eu não sei o que acontece com a comida da mãe da gente, principalmente quando é uma coisa que qualquer um pode fazer – panquecas, bolo de carne, salada de atum –, mas tem sempre um sabor de infância. Minha mãe costumava colocar salsa e cebolinha nos ovos mexidos – "aquela coisinha verde", era assim que eu chamava –, e aqui estavam elas outra vez.

Assim, agora eu estava tomando café da manhã no pretérito perfeito numa mesa no pretérito perfeito com uma mãe no pretérito perfeito.

– Come devagar, senão vai ficar doente – ela disse.

Isso também era pretérito perfeito.

Quando acabei, ela levou os pratos para a pia e começou a lavá-los.

– Obrigado – murmurei.

Ela ergueu os olhos.

– Eu ouvi você dizer "obrigado", Charley?

Eu meio que concordei com a cabeça.

– Obrigado por quê?

Eu pigarreei.

– Pelo café da manhã.

Ela acabou de lavar a louça, sorrindo. Vê-la junto à pia era uma cena absolutamente familiar, eu sentado à mesma mesa, ela lavando a louça. Nós tínhamos conversado tantas vezes, nessa exata posição, sobre a escola, sobre meus amigos e sobre as fofocas dos vizinhos a que eu não devia dar atenção, a água da torneira nos obrigando a levantar o tom de voz.

– Você não pode estar aqui... – comecei. Mas não consegui continuar.

Ela fechou a torneira e enxugou as mãos numa toalha.

– Está na hora – ela disse. – Temos de ir andando.

Inclinou-se sobre mim e pegou meu rosto entre as mãos. Seus dedos estavam quentes e úmidos.

– Você é sempre bem-vindo – ela disse – para o café da manhã.

Pegou a bolsa na cadeira.

– Agora seja um bom menino e vista o casaco.

20 de julho de 1959

Querido Charley,

Eu sei que você está assustado, mas não precisa ter medo. Todos nós já extraímos as amígdalas e estamos ótimos!

Guarde bem esta carta. Coloque-a debaixo do travesseiro antes de os médicos entrarem. Eles vão dar um remedinho para você ter sono, mas pouco antes de dormir lembre-se de que minha carta está lá. Se você acordar antes de eu chegar, procure debaixo do travesseiro e leia novamente. Ler é como falar, por isso imagine que estou falando com você.

E logo, logo eu estarei ao seu lado. E aí você vai poder tomar quanto sorvete quiser. Que tal?

Amo você todos os dias.

Mamãe

A família de Chick depois do divórcio

DURANTE ALGUM TEMPO depois que meus pais se separaram, nós tentamos viver como se nada tivesse mudado. Mas a vizinhança não deixou. Cidades pequenas são como metrônomos, ao menor piparote o andamento muda. As pessoas ficaram mais simpáticas comigo e com minha irmã. Sempre tinha um pirulito a mais no consultório do médico e uma bola maior na casquinha de sorvete; quando as mulheres mais velhas nos encontravam na rua, apertavam nossos ombros com fervor e perguntavam: "*Como* vocês estão passando, meninos?", o que para nós era uma pergunta que se fazia aos adultos.

Mas se as pessoas eram mais bondosas conosco, com minha mãe era o contrário. Ninguém se divorciava naquela época. Eu não conhecia nenhuma criança que tivesse passado por aquilo. Separação, pelo menos onde nós morávamos, era uma coisa escandalosa, e uma das partes sempre levava a culpa.

E minha mãe levou a culpa, principalmente porque foi ela quem ficou. Ninguém sabia o que acontecera entre Len e Posey, mas Len tinha ido embora, e Posey ficara para ser julgada. E de nada servia ela se recusar a pedir piedade e a chorar no ombro dos outros. Para piorar as coisas, minha mãe era jovem e bonita, ou seja, representava uma ameaça para as mulheres, uma tentação para os homens e, para as crianças, uma excentricidade. Opções nada interessantes, se você pensar bem.

Com o tempo, percebi que as pessoas a olhavam de um jeito diferente quando ela empurrava o carrinho no mercado, ou quando, naquele primeiro ano depois do divórcio, ela nos deixava na escola, com seu uniforme branco de enfermeira, sapato e meia-calça também brancos. Toda vez que ela saía do carro para se despedir de nós, eu via claramente que as outras mães nos observavam. Aos poucos, Roberta e eu fomos sentindo vergonha quando nos aproximávamos da porta da escola com nossa mãe.

– Dê um beijo na sua mãe – ela disse um dia, inclinando-se.

– Não – eu respondi, e me afastei.

– Não o quê? – ela perguntou.

– É que... – eu encolhi os ombros e recuei. – É que... não.

Como não tinha coragem de olhar para ela, eu olhei para os meus pés. Minha mãe ficou um momento parada, até se recompor. Conteve o choro e afagou meu cabelo.

Quando ergui os olhos, o carro já se afastava.

UMA TARDE, eu jogava com um amigo no estacionamento da igreja quando duas freiras abriram a porta dos fundos. Nós congelamos, imaginando que tínhamos feito alguma coisa errada. Mas as freiras vieram na minha direção, cada uma trazendo uma travessa de alumínio. Ao se aproximarem, senti cheiro de bolo de carne e de ervilhas.

– Olha aqui – disse uma delas. – Para a sua família.

Eu não entendi por que estavam me dando comida. Mas não se podia dizer "não, obrigado" a uma freira, de modo que peguei as bandejas e levei-as para casa, achando que talvez minha mãe as tivesse encomendado.

– O que é isso? – ela perguntou quando entrei em casa.

– As freiras me deram.

Ela tirou o papel encerado que cobria as travessas. E cheirou.

– Você pediu isso?

– Hum, eu estava jogando bola.

– Você não pediu isso?

– Não.

– Porque nós não precisamos de comida, Charley. Não precisamos de caridade, se é isso o que você está pensando.

Fiquei na defensiva. Eu não entendia o que era "caridade", mas diria que significava algo que não se dá para qualquer um.

– Eu não pedi isso! – protestei. – Eu nem *gosto* de ervilha!

Ficamos nos olhando.

– Eu não tive *culpa* – eu disse.

Ela tirou as travessas da minha mão e despejou toda a comida dentro da pia. Passou o bolo de carne no triturador de lixo com a ajuda de uma colher grande e fez o mesmo com as ervilhas. Movia-se de um modo tão enérgico que não pude afastar os olhos, vendo-a jogar toda aquela comida pelo pequeno buraco redondo. Ela abriu a água. O triturador rugiu. Quando o som ficou mais agudo, como sinal de que tinha acabado, minha mãe removeu a tampa magnética, fechou a água e enxugou as mãos no avental.

– E aí – ela disse, virando-se para mim –, você está com fome?

A PRIMEIRA VEZ QUE OUVI a palavra "divorciada" foi depois de um jogo de beisebol da Legião Americana. Os técnicos jogavam os bastões na traseira de uma caminhonete quando o pai de um garoto do outro time pegou meu bastão por engano. Eu corri e disse:

– Este é meu.

– É? – ele falou, girando-o na palma da mão.

– É. Eu trouxe ele comigo na bicicleta.

O homem pode ter duvidado, porque todos os garotos vinham com seus pais.

– O.k. – ele disse, entregando-me o bastão. Aí me olhou de esguelha e perguntou: – Você é o filho da divorciada, não é?

Eu olhei para ele, sem dizer nada. *Divorciada?* Aquilo soava exótico, eu não pensava na minha mãe daquela forma. Os adultos costumavam perguntar "Você é o filho do Len Benetto, não é?", e eu não sabia o que me deixava mais chateado, se era ser o filho desse novo nome ou não ser mais o filho do antigo.

– Como vai a sua mãe? – ele perguntou.

Dei de ombros.

– Vai bem.

– É? – Seus olhos percorreram rapidamente o campo, depois voltaram para mim. – Ela está precisando de alguma ajuda em casa?

Senti como se minha mãe estivesse atrás de mim e eu fosse a única coisa entre eles.

– Está tudo bem com ela – insisti.

Ele concordou balançando a cabeça.

Se um mero aceno de cabeça é capaz de despertar suspeita, este foi, com certeza.

E SE FOI NESSE DIA que fui apresentado à palavra "divorciada", lembro-me ainda mais claramente do dia em que ela se tornou abominável. Minha mãe tinha chegado do trabalho e me mandara ao mercadinho comprar ketchup e pão. Para cortar caminho, fui pela travessa que dava acesso aos fundos das casas. Ao passar por uma casa baixa, toda revestida de tijolinhos, vi dois garotos da minha escola, mais velhos do que eu, cochichando. Um deles, um garoto parrudo chamado Leon, protegia alguma coisa contra o peito.

– Oi, Benetto – ele disse, rapidamente.

– Oi, Leon – respondi.

Olhei para o outro garoto.

– Oi, Luke.

– Oi, Chick.

– Aonde você vai?

– Ao Fanelli's – respondi.

– É?

– É.

Ele abriu os braços. Estava segurando um binóculo.

– Pra que serve isso? – perguntei.

Ele virou o binóculo em direção às árvores.

– Equipamento do Exército – respondeu. – Um binóculo.

– Aumenta vinte vezes – disse Luke.

– Deixa eu ver.

Ele me passou, e eu levei o binóculo aos olhos. Os aros estavam quentes. Movendo-os para cima e para baixo, vi uns borrões no céu, depois os pinheiros, depois meus pés.

– Eles usam na guerra – disse Luke – para localizar o inimigo.

– É do meu pai – disse Leon.

Eu detestava aquela palavra.

– Até logo – falei.

Leon assentiu com a cabeça.

– Até logo.

Saí andando, mas meus pensamentos estavam inquietos. Havia qualquer coisa no jeito como Leon tinha se virado para as árvores, rápido demais, sabe como é? Então, dei a volta na casa e me escondi atrás da cerca viva. E o que vi me deixa furioso até hoje.

Aos cochichos outra vez, os dois disputavam o binóculo, agora não mais apontado para as árvores, e sim para o outro lado, na direção da minha casa. Seguindo a linha de visão, cheguei à janela do quarto da minha mãe. Quando vi a sombra dela se mover atrás da vidraça, com os braços levantados sobre a cabeça, pensei imediatamente: *Ela chegou do trabalho, está mudando a roupa*. E gelei. Um arrepio de frio desceu do meu pescoço até a ponta dos pés.

– Uuhh – gemia Leon –, olha lá a *divorciada...*

Acho que nunca me vi tão furioso na vida, nem antes nem depois. Com os olhos injetados, corri na direção dos garotos e, apesar de eles serem maiores do que eu, pulei por trás dos dois, agarrei Leon pelo pescoço e esmurrei com toda a força tudo o que se mexia, tudo mesmo.

Caminhando

MINHA MÃE VESTIU o casaco de *tweed* branco, balançando os ombros para ajustar. Ela passara seus últimos anos penteando e maquiando mulheres idosas que não podiam sair de casa, mantendo vivos os seus rituais de beleza. Disse que tinha três "compromissos" naquele dia. Ainda atordoado, eu a segui pela entrada da garagem.

– Vamos andando pelo lago, Charley? – ela disse. – É lindo a esta hora do dia.

Concordei com a cabeça, sem dizer nada. Quanto tempo teria se passado desde que me vira deitado na relva molhada, olhando fixamente para os destroços do acidente? Quanto tempo ainda se passaria até que alguém me encontrasse? Ainda sentia o gosto de sangue na boca e uma dor aguda que vinha em ondas. Num minuto eu não sentia nada, no instante seguinte tudo me doía. Mas aqui estava eu, na calçada do meu antigo quarteirão, carregando a bolsa roxa de vinil com os apetrechos de cabeleireira da minha mãe.

– Mãe – eu murmurei, finalmente. – Como...?

– Como o quê, meu bem?

Pigarreei.

– Como é possível você *estar* aqui?

– Eu moro aqui – ela respondeu.

Balancei a cabeça.

– Não, não mora mais – sussurrei.

Ela ergueu os olhos para o céu.

– Sabe, no dia em que você nasceu o tempo estava mais ou menos como hoje. Frio, mas agradável. Eu entrei em trabalho de parto no fim da tarde, lembra? (Como se eu fosse responder "Ah, claro, lembro perfeitamente".) Aquele médico, como era mesmo o nome dele? Raposo? Dr. Raposo. Ele me disse que eu tinha de dar à luz antes das seis, porque a esposa dele estava preparando seu prato favorito para o jantar e ele não queria perder.

Eu já tinha ouvido essa história antes.

– Iscas de peixe – murmurei.

– Iscas de peixe. Dá para acreditar? Uma coisa tão fácil de fazer. Tanta pressa só se justificaria se fosse por causa de um filé. Eu não estava nem um pouco preocupada. E ele chegou a tempo de comer as suas iscas.

Ela me olhou com um jeito brincalhão.

– E eu tive você.

Demos mais alguns passos. Minha testa latejava. Esfreguei-a com a mão.

– O que houve, Charley? Está doendo?

A pergunta, de tão simples, era impossível de responder. Dor? Por onde eu devia começar? O acidente? O salto? A bebedeira de três dias? O casamento de Maria? O meu casamento? A depressão? Os últimos oito anos? Quando é que eu *não* estava sentindo dor?

– Eu não tenho sido muito bom, mãe – eu disse.

Ela continuou andando, examinando a grama na calçada.

– Sabe, Charley, depois que casei com seu pai, passei três

anos querendo ter um filho. Naquela época, três anos para engravidar era muito tempo. As pessoas achavam que havia alguma coisa errada comigo. Eu também. – Ela suspirou suavemente. – Eu não conseguia imaginar uma vida sem filhos. Certa vez eu até... espere. Vamos ver.

E me guiou na direção de uma árvore grande, numa esquina perto da nossa casa.

– Foi bem tarde, numa noite em que eu não conseguia dormir – ela disse. Esfregou a mão na casca da árvore como se desenterrasse um velho tesouro. – Ah, ainda está aqui.

Inclinei-me e vi as palavras POR FAVOR entalhadas na lateral da árvore, com letras pequenas e tortas. Tive de olhar com atenção, mas estava lá: POR FAVOR.

– Você e Roberta não foram os únicos que gravaram seus nomes na madeira – ela disse, sorrindo.

– O que é isso?

– Uma oração.

– Por um filho?

Ela fez que sim com a cabeça.

– Por mim?

Repetiu o gesto.

– Numa árvore?

– As árvores passam o dia inteiro olhando para Deus.

Fiz uma careta.

– Já sei o que você vai dizer. – Ergueu as mãos, me imitando. – "Você é tão *piegas*, mãe."

Ela tocou a casca da árvore outra vez e fez *Huummm*. Parecia estar pensando em tudo o que tinha acontecido desde a tarde em que eu vim ao mundo. Fiquei imaginando como esse som mudaria se ela soubesse a história inteira.

– Agora, Charley – ela disse, afastando-se –, você já sabe

quanto foi desejado. Os filhos às vezes se esquecem disso. Eles se vêem como um fardo, não como um desejo alcançado.

Endireitou o corpo e alisou o casaco. Eu tive vontade de chorar. Um desejo alcançado? Quanto tempo fazia desde a última vez que alguém tinha se referido a mim dessa maneira? Eu devia estar agradecido. Devia sentir vergonha de ter virado as costas para a vida. Em vez disso, eu queria beber. Ansiava pela atmosfera de um bar à meia-luz, o gosto entorpecedor do álcool enquanto olhava para o copo vazio, sabendo que, quanto mais cedo o álcool me entorpecesse, mais cedo eu sairia de cena. Não me orgulho disso, mas é verdade.

Caminhei até onde estava minha mãe e coloquei a mão no seu ombro, meio que esperando que ela passasse através dele, como nos filmes de fantasmas. Mas não passou. Minha mão pousou no ombro dela, e eu senti seus ossos frágeis por baixo do tecido.

– Você morreu – deixei escapar.

Um vento súbito levantou as folhas amontoadas.

– Você dá importância demais a certas coisas – ela disse.

POSEY BENETTO sabia falar, era o que todos diziam. Mas, ao contrário de muita gente que sabe falar, ela também sabia escutar. Escutava os pacientes no hospital. Escutava os vizinhos, sentada em cadeiras dobráveis nos dias quentes de verão. Adorava piadas. Empurrava levemente pelo ombro qualquer pessoa que a fizesse rir. Uma pessoa encantadora. Era assim que os outros a consideravam: a encantadora Posey.

Mas, aparentemente, isso foi só enquanto as grandes mãos do meu pai a envolviam. Uma vez divorciada, livre das garras dele, as outras mulheres não queriam o encanto de minha mãe perto de seus maridos.

Então ela perdeu todos os amigos. Era como se tivesse contraído a peste. As mesas de carteado que ela e meu pai costumavam fazer com os vizinhos? Acabaram-se. Convites para festas de aniversário? Nunca mais. O 4 de Julho era impregnado do cheiro de carvão, mas ninguém nos convidava para um churrasco. No Natal viam-se os carros estacionados na frente das casas e adultos conversando detrás das janelas. Mas minha mãe ficava conosco, na cozinha, batendo massa de bolo.

– Nós não vamos à festa? – perguntávamos.

– Nossa festa vai ser aqui em casa mesmo – ela respondia.

Minha mãe queria dar a impressão de que era uma escolha sua. Só nós três. Durante muito tempo eu pensei que a noite de Ano Novo era um evento familiar em que se derramava calda de chocolate em cima do sorvete e se assistia à queima de fogos pela televisão. Surpreendeu-me saber que os pais da maioria dos meus amigos adolescentes saíam por volta das oito da noite, com roupas de festa, e os filhos aproveitavam para atacar o armário de bebidas.

– Quer dizer que você sempre fica preso à sua mãe na noite de Ano Novo? – os garotos perguntavam.

– É – eu gemia.

Na verdade, era a minha encantadora mãe que estava presa.

Ocasiões em que eu não tomei o partido da minha mãe

Deixo de acreditar em Papai Noel quando meu pai vai embora, mas Roberta só tem seis anos e segue o ritual completo: escreve a cartinha, deixa o sapatinho na janela e aponta para as estrelas, perguntando: "Aquilo lá é uma rena?"

No primeiro dezembro em que estamos sozinhos, minha mãe quer fazer algo especial. Arranja um traje completo de Papai Noel – casaco e calças vermelhas, botas, barba – e na noite de Natal põe Roberta na cama às nove e meia e a proíbe expressamente de estar por perto da sala de jantar às dez, o que significa, é claro, que Roberta está fora da cama às cinco para as dez, de tocaia como um gavião.

Vou atrás dela, com uma lanterna. Sentamos na escada. De repente, a sala fica escura, e ouvimos um farfalhar. Minha irmã está ofegante. Acendo a lanterna. Roberta sussurra, aflita:

– Não, Chick!

Apago a lanterna, mas, como ainda sou criança, acendo outra vez e flagro minha mãe vestida de Papai Noel, com uma fronha cheia de presentes. Ela se vira e arrisca uma risada:

– Ho! Ho! Ho! Quem está aí?

Minha irmã esconde o rosto e eu, por algum motivo, mantenho a lanterna acesa bem em cima da minha mãe, em seu rosto barbado, obrigando-a a proteger os olhos com mão.

– Ho! Ho! Ho! – ela tenta outra vez.

Encolhida como um inseto, Roberta espia por cima dos punhos fechados. E sussurra:

– Chick, apaga isso! Você vai espantá-lo.

Mas eu só vejo o absurdo da situação, a falsidade daquilo tudo, uma falsa mesa de jantar completa, um falso Papai Noel, uma falsa família, em vez de três quartos de família.

– É a mamãe – eu digo, implacável.

– Ho! Ho! Ho! – repete minha mãe.

– Não é não – diz Roberta.

– É sim, sua toupeira. É a mamãe. Papai Noel não é mulher, sua idiota.

Eu mantenho o facho de luz sobre minha mãe, e vejo sua postura mudar, cabeça para trás e ombros caídos como um Papai Noel fugitivo apanhado pela polícia. Roberta começa a chorar. Eu diria que minha mãe tem ganas de gritar comigo, mas fica quieta para não arruinar seu disfarce. Por entre o gorro e a barba de algodão ela me olha bem dentro dos olhos, e eu sinto a ausência do meu pai por toda a sala. Finalmente ela descarrega a fronha cheia de presentinhos no chão e sai pela porta da frente, com apenas um Ho! Ho! Ho! a mais. Aos prantos, minha irmã volta correndo para a cama. Eu fico para trás, com minha lanterna, sentado na escada, iluminando uma sala vazia e uma árvore de Natal.

Rose

SEGUIMOS CAMINHANDO pelo velho bairro. A essa altura eu já me sentia vagamente conformado em aceitar essa – como diria? – insanidade temporária. Eu iria com minha mãe a qualquer lugar que ela quisesse, até que o que eu tinha feito fosse descoberto. Para ser honesto, nem tudo dentro de mim desejava que aquilo terminasse. Quando um ente querido que você perdeu aparece na sua frente, é o seu cérebro que luta contra, não o coração.

O primeiro "compromisso" de minha mãe era com uma mulher que vivia numa pequena casa de alvenaria em Lehigh Street, a apenas duas quadras da nossa casa, com um toldo metálico sobre a varanda e uma floreira cheia de pedrinhas. A atmosfera da manhã parecia agora excessivamente clara, de uma claridade estranha que deixava as bordas do cenário definidas demais, como se tivessem sido desenhadas à tinta. Eu ainda não vira nenhuma outra pessoa, mas a manhã ia pela metade, e a maioria devia estar trabalhando.

– Bata na porta – disse minha mãe.

Eu bati.

– Ela não ouve muito bem. Bata com mais força.

Dei várias pancadinhas.

– Bata outra vez.

Soquei a porta.

– Não com tanta força – ela disse.

Finalmente a porta se abriu. Uma mulher idosa, vestindo uma bata e apoiada num andador, arreganhou os lábios num sorriso confuso.

– Bom diiiiiia, Rose – disse minha mãe, cantando. – Eu trouxe um jovem comigo.

– Ooh – disse Rose. Sua voz era aguda como a de um passarinho. – Sim, estou vendo.

– Você se lembra do meu filho Charley?

– Ooh, sim. Estou vendo. – Deu um passo atrás. – Entrem. Entrem.

A casa, pequena e arrumada, parecia congelada na década de 1970. Na sala, um tapete azul-rei e sofás cobertos de plástico. Seguimos Rose até a lavanderia. Com passos artificialmente curtos e lentos, marchamos atrás dela e de seu andador.

– Está tendo um bom dia, Rose? – perguntou minha mãe.

– Ooh, sim. Agora que vocês estão aqui – ela respondeu.

– Você se lembra do meu filho Charley?

– Ooh, sim. Bonito rapaz.

Ela disse isso de costas para mim.

– E como vão seus filhos, Rose?

– O que foi que você disse? – ela perguntou.

– Seus filhos?

– Ooh. – Ela fez um gesto com a palma da mão. – Uma vez por semana eles vêm ver como eu estou. Parece serviço de rotina.

Eu não sabia dizer, a essa altura, quem ou o que era Rose. Uma aparição? Uma pessoa real? Sua casa parecia bastante real, com a calefação ligada e o cheiro de pão tostado que ficara do café da manhã. Entramos na lavanderia, onde havia uma cadeira colocada ao lado do tanque. No rádio tocava uma música de orquestra.

– Quer desligá-lo para mim, jovem? – pediu Rose. – Houve um acidente na rodovia. Estavam dando a notícia.

Senti um calafrio.

– Um carro bateu num caminhão e se acabou em cima de um painel de propaganda. Ele veio abaixo. Uma coisa horrível.

Perscrutei o rosto da minha mãe, esperando que ela se virasse e exigisse a minha confissão. *Admita o que você fez, Charley.*

– Puxa, Rose, que notícia deprimente – ela disse, ainda esvaziando a bolsa.

– Ooh, sim – falou Rose –, muito deprimente.

Espera aí. Elas sabiam? Elas não sabiam? Senti um arrepio de pavor, como se alguém fosse bater na janela e exigir que eu saísse.

Em vez disso, Rose virou seu andador, depois os joelhos e finalmente os ombros magros na minha direção.

– É muito bom você ter vindo passar o dia com a sua mãe – ela disse. – Os filhos deviam fazer isso com mais freqüência.

Colocou a mão trêmula nas costas da cadeira ao lado da pia.

– Agora, Posey, será que você ainda consegue me deixar bonita?

TALVEZ VOCÊ ESTEJA se perguntando como foi que a minha mãe se tornou cabeleireira. Como já falei, ela era enfermeira e gostava de ser enfermeira. Tinha um profundo poço de paciência para fazer curativos, colher sangue e responder com frases otimistas a um sem-fim de perguntas aflitas. Os pacientes homens gostavam de ter uma pessoa jovem e bonita por perto. As mulheres se sentiam agradecidas por ela escovar-lhes o cabelo e ajudá-las a passar batom. Duvido que isso fosse um procedimento normal naquela época, mas minha mãe maquiava várias pacientes do hospital da cidade. Ela achava que isso as fazia se sentirem melhor. E sentir-se melhor não era, afinal, a razão de estarem num hospital? "As pessoas não estão no hospital para apodrecer, estão?", ela perguntava.

Às vezes, no jantar, minha mãe falava com um olhar distante sobre a "coitada da Sra. Halverson e seu enfisema" e o "pobre Roy Endicott e sua diabetes". De vez em quando ela deixava de falar em alguém, e minha irmã perguntava: "Mãe, o que foi que a senhora Golinski fez hoje?", e minha mãe respondia: "A senhora Golinski foi para casa, meu amor." Meu pai arqueava as sobrancelhas, olhava para ela e continuava a comer. Precisei ficar mais velho para perceber que "casa" significava "cemitério". De todo modo, era geralmente quando ela mudava de assunto.

SÓ HAVIA UM HOSPITAL em nosso condado, e com meu pai fora de cena minha mãe procurava trabalhar tanto quanto possível, o que significava que não podia pegar minha irmã na saída da escola. Portanto, em geral era eu quem ia buscar Roberta, deixava-a em casa e voltava de bicicleta para o treino de beisebol.

– Você acha que o papai vai estar lá hoje? – Roberta perguntava.

– Não, sua idiota – eu respondia. – Por que ele haveria de estar?

– Porque a grama está alta e ele tem de cortar – ela dizia. Ou "Porque tem um monte de folhas para varrer". Ou "Porque hoje é quinta-feira e a mamãe faz costeletas de cordeiro toda quinta".

– Eu não acho que isso seja um bom motivo – eu dizia.

Ela esperava um momento antes de continuar, com a pergunta óbvia.

– Então por que ele foi embora, Chick?

– Eu não sei! Ele foi, e pronto!

– Esse também não é um bom motivo – ela murmurava.

Uma tarde, quando eu tinha 12 anos e ela sete, ao sairmos do pátio da escola ouvimos um som de buzina.

– É a mamãe! – disse Roberta, correndo na frente.

Minha mãe não saiu do carro, o que era estranho. Ela considerava falta de educação buzinar para chamar as pessoas. Anos mais tarde, ela aconselharia minha irmã a evitar rapazes que não viessem buscá-la na porta de casa: com esses não valia a pena sair. Mas agora lá estava ela, buzinando de dentro do carro. Atravessei a rua atrás da minha irmã e entrei.

Minha mãe não parecia bem. Tinha manchas escuras embaixo dos olhos e pigarreava sem parar. Além disso, não estava usando sua roupa branca de enfermeira.

– O que você está fazendo aqui? – perguntei. Era assim que eu falava com ela naquela época.

– Dê um beijo na sua mãe – ela disse.

Eu me inclinei sem sair do lugar e ela beijou meu cabelo.

– Eles deixaram você sair cedo do trabalho hoje? – perguntou Roberta.

– Foi, meu amor, mais ou menos isso.

Ela fungou, olhou no retrovisor e limpou a mancha escura embaixo dos olhos.

– Vamos tomar sorvete? – propôs.

– Oba! Oba! – exclamou minha irmã.

– Eu tenho treino – respondi.

– Ah, você pode faltar ao treino uma vezinha só! – ela disse.

– Não, não posso – protestei. – Não se pode faltar ao treino, eu tenho de ir.

– Quem disse isso?

– O treinador e todo mundo.

– Eu quero ir! Eu quero uma casquinha! – pedia Roberta.

– Só um sorvetinho, é rápido – falou minha mãe.

– Não! Que droga!

Levantei a cabeça e olhei nos olhos dela. Acho que nunca tinha visto o que vi naquele momento. O olhar da minha mãe parecia perdido.

Mais tarde, eu soube que ela fora despedida do hospital naquele dia. Mais tarde, eu soube que alguns diretores achavam que ela distraía demais os médicos homens, agora que estava sozinha. Mais tarde, eu soube que tinha havido um incidente com um diretor, e minha mãe dera queixa de seu comportamento inadequado. Sua recompensa por ter se defendido foi considerarem que "aquilo não estava mais dando certo".

E sabe o que é mais estranho? De alguma forma, eu soube de tudo isso no momento em que olhei nos olhos dela. Não dos detalhes, é claro. Mas perdido é perdido, e eu soube o que significava aquele olhar porque já tinha sentido um igual. Em mim mesmo. E destestei minha mãe por isso. Eu a detestei por ser tão fraca quanto eu.

Saí do carro e disse:

– Eu não quero sorvete nenhum. Eu vou treinar.

E, enquanto atravessava a rua, minha irmã gritou da janela do carro:

– Você quer que a gente traga uma casquinha pra você?

E eu pensei: "Você é mesmo muito idiota, Roberta, o sorvete derrete."

Ocasiões em que eu não tomei o partido da minha mãe

Ela encontrou meus cigarros. Na gaveta das meias. Estou com 14 anos.

– O quarto é meu! – eu berro.

– Charley! Já falamos sobre isso! Eu já disse para você não fumar! O que está acontecendo com você?

– Você é uma hipócrita!

Ela pára. Seu pescoço fica rígido.

– Não diga essa palavra.

– Você fuma! Você é uma hipócrita!

– Não use essa palavra!

– Por que não? Você sempre quer que eu diga frases com palavras complicadas. Esta é uma palavra complicada. Você fuma. Mas eu não posso. Minha mãe é uma hipócrita!

Eu ando de um lado para o outro enquanto grito, e o movimento parece me dar mais força e confiança, como se ela não pudesse me bater. Esta história acontece depois que minha mãe arranjou um emprego no salão de beleza, e por isso, em vez do uniforme branco, ela trabalha com roupas da moda – como a calça capri e a blusa azul-turquesa que está vestindo agora. Essas roupas acentuam suas formas. Eu as odeio.

– Eu vou jogar isso fora! – ela grita, pegando os cigarros. – E o senhor não vai sair hoje!

– Não me importo! – Olho para ela com raiva. – E por que você tem de se vestir desse jeito? Você me dá nojo!

– Eu o quê? – Ela parte para cima de mim e me estapeia o

rosto. – EU O QUÊ? Eu te (plaft!) dou nojo? Eu te (plaft!) dou NOJO? (plaft!) Foi isso que você (plaft!) disse? (plaft! plaft! plaft!) Foi isso? É isso o que você PENSA DE MIM?

– Não! Não! – eu berro. – Pára!

Cubro a cabeça e fujo. Desço correndo as escadas e saio pela garagem. Fico fora de casa até bem depois de escurecer. Ao voltar, a porta do quarto dela está fechada, e eu acho que a ouço chorar. Vou para o meu quarto. Os cigarros ainda estão lá. Acendo um e também começo a chorar.

Crianças sentem vergonha

ROSE ESTAVA COM A CABEÇA INCLINADA na pia e minha mãe molhava delicadamente o seu cabelo com um borrifador adaptado à torneira. Aparentemente, tratava-se de uma antiga rotina. Depois de ter colocado a cabeça de Rose na posição correta com travesseiros e toalhas, minha mãe usava a outra mão para esfregar-lhe o cabelo.

– Está quentinha, meu bem? – perguntou minha mãe.

– Ooh, sim, querida. Está ótima. – Rose fechou os olhos. – Sabe, Charley, sua mãe faz o meu cabelo desde que eu era muito mais jovem.

–Você é jovem de coração, Rose – disse minha mãe.

– É a única parte – ela respondeu.

As duas riram.

– Quando ia ao salão, eu só queria a Posey. Se Posey não estivesse, eu voltava no dia seguinte. "Você não quer outra pessoa?", eles perguntavam, mas eu dizia "Ninguém toca em mim, só a Posey".

–Você é um amor, Rose – disse minha mãe. – Mas as outras moças eram boas também.

– Ah, Posey, fique quieta. Deixe-me elogiar. A sua mãe,

Charley, sempre encontrava tempo para mim. E depois que passei a ter dificuldade para ir ao cabeleireiro ela passou a vir à minha casa, toda semana.

Com os dedos trêmulos, ela dava tapinhas no braço da minha mãe.

– Obrigada, querida, por isso.

– Não há de quê, Rose.

– Você era tão bonita, também.

Fiquei olhando minha mãe sorrir. Como era possível ela orgulhar-se tanto de lavar o cabelo de alguém a domicílio?

–Você devia ver a filha do Charley, Rose – disse minha mãe. – Aquilo é que é beleza. Ela arrasa corações.

– É mesmo? Como ela se chama?

– Maria. Ela não arrasa corações, Charley?

Como eu podia responder àquilo? A última vez que elas se viram foi no dia da morte da minha mãe, oito anos antes. Maria ainda era uma adolescente. Como eu poderia contar o que acontecera desde então? Que eu tinha caído fora da vida da minha filha; que agora seu sobrenome era outro; que eu tinha descido tão baixo que fora excluído de seu casamento? Maria me amava, me amava de verdade. Quando eu chegava do trabalho, ela vinha correndo para mim com os braços erguidos, gritando "Papai, me levanta!".

O que foi que aconteceu?

– Maria tem vergonha de mim – murmurei finalmente.

– Não seja tolo – disse minha mãe.

Ela olhou para mim e esfregou xampu nas palmas das mãos. Abaixei a cabeça. Queria uma bebida bem forte. Eu podia sentir seu olhar. Podia ouvir seus dedos massageando o cabelo de Rose. De todas as coisas que me deixavam infeliz na presença da minha mãe, a pior era ser um mau pai.

– Sabe de uma coisa, Rose? – ela disse de repente. – O Charley nunca me deixou cortar o cabelo dele. Você acredita? Ele fazia questão de ir ao barbeiro.

– Por que, querida?

– Ah, você sabe como é. Depois que eles chegam a uma certa idade, o negócio é "Sai pra lá, mãe, sai pra lá".

– As crianças ficam com vergonha dos pais – disse Rose.

– As crianças ficam com vergonha dos pais – repetiu minha mãe.

Era verdade. Na adolescência, eu queria que minha mãe ficasse longe de mim. Recusava-me a sentar ao lado dela no cinema. Fugia dos seus beijos. Sua figura feminina me incomodava, e eu ficava louco de raiva por ela ser a única mulher divorciada das redondezas. Queria que ela se comportasse como as outras mães, que usasse vestidos caseiros, que fizesse álbuns de recortes e bolos de chocolate.

– Às vezes os filhos dizem coisas horríveis, não é, Rose? A gente tem até vontade de perguntar: "De quem é esse filho?"

Rose deu um risinho.

– Geralmente é porque estão sofrendo por causa de alguma coisa e precisam se livrar dela.

Ela me lançou um olhar.

– Lembre-se, Charley. Às vezes os filhos querem que você sofra o que eles estão sofrendo.

Sofrer o que eles estão sofrendo? Então foi isso que eu fiz? Será que eu queria ver no rosto da minha mãe a rejeição que eu sentia por parte do meu pai? Será que minha filha fez o mesmo comigo?

– Eu não quis dizer aquilo, mãe – sussurrei.

– Aquilo o quê, Charley?

– Sentir vergonha. De você, das suas roupas, da sua... condição.

Ela lavou o xampu das mãos e dirigiu o jato de água para o couro cabeludo de Rose.

– Um filho que sente vergonha da mãe – ela disse – é apenas um filho que ainda não viveu o bastante.

O SILÊNCIO FOI QUEBRADO pelas badaladas do relógio da sala no momento em que minha mãe aparava o cabelo de Rose com pente e tesoura.

O telefone tocou.

– Charley, querido – disse Rose. – Você pode atender?

Segui o toque até encontrar um telefone na parede externa da cozinha.

– Alô? – atendi.

E tudo mudou.

– CHARLES BENETTO?

Era a voz de um homem gritando.

– CHARLES BENETTO! VOCÊ ESTÁ ME OUVINDO, CHARLES?

Eu congelei.

– CHARLES? EU SEI QUE VOCÊ ESTÁ ME OUVINDO! CHARLES! HOUVE UM ACIDENTE! FALE CONOSCO!

Com as mãos trêmulas, coloquei o telefone de volta no gancho.

Ocasiões em que minha mãe tomou meu partido

Faz três anos que meu pai foi embora. No meio da noite, eu acordo com o barulho dos passos da minha irmã no corredor. Quase toda noite ela vai para o quarto da minha mãe. Eu enfio a cabeça no travesseiro, tentando conciliar o sono.

– Charley! – Minha mãe aparece de repente no meu quarto, sussurrando, aflita. – Charley! Cadê seu bastão de beisebol?

– Hein? – eu resmungo, apoiando-me nos cotovelos.

– Shhh! – faz minha irmã.

– O bastão – diz minha mãe.

– Pra que vocês querem meu bastão?

– Shhh! – faz minha irmã.

– Ela ouviu um barulho.

– Tem um ladrão na casa?

– Shhh! – repete minha irmã.

Meu coração dispara. Quando éramos crianças, nós ouvíamos falar de ladrões que entravam pela janela e assaltantes que invadiam casas e amarravam os moradores. Eu imediatamente imagino algo pior, um intruso cujo único propósito é nos matar.

– Charley! O bastão!

Aponto para o armário. Meu peito arqueja. Ela encontra meu Louisville Slugger preto. Minha irmã larga a mão dela e pula para a minha cama. Eu pressiono o colchão com as palmas das mãos, sem saber que papel desempenhar.

Minha mãe abre a porta devagarinho.

– Fiquem aqui – ela sussurra.

Quero dizer a ela que ela está segurando o bastão de maneira errada. Mas minha mãe já foi.

Minha irmã treme ao meu lado. Envergonhado por ter sido colocado no mesmo plano que ela, saio da cama e vou até o vão da porta. Minha irmã se agarra com força nos fundilhos do meu pijama, a ponto de quase rasgá-lo.

Do corredor, escuto os rangidos do madeiramento da casa e imagino um ladrão com uma faca. Ouço batidas surdas, suaves e ritmadas. Passos. Imagino um homenzarrão afogueado subindo a escada em busca de mim e de minha irmã. Aí escuto alguma coisa real, o som de algo se partindo. Em seguida... vozes? São vozes? Sim. Não. Espere, é a voz da minha mãe! Quero correr escada abaixo. Quero correr para a cama. Ouço algo mais profundo – outra voz? A voz de um homem?

Engulo em seco.

Momentos depois, ouço uma porta se fechar. Com força.

Agora ouço passos se aproximando.

A voz da minha mãe chega antes dela.

– Está tudo bem – ela diz, não mais aos sussurros. Entra depressa no quarto, acaricia a minha cabeça e vai direto até minha irmã, largando o bastão, que cai no chão com um baque. Minha irmã chora. – Está tudo bem. Não foi nada – diz minha mãe.

Deixo cair o corpo contra a parede. Minha mãe abraça minha irmã com o suspiro de alívio mais longo que eu já vi alguém dar.

– Quem era? – eu pergunto.

– Ninguém – ela diz. Mas está mentindo. Eu sei quem era.

– Vem aqui, Charley. – Ela me estende a mão. Eu a evito, com os braços caídos. Ela me puxa, mas eu resisto. Estou com raiva dela. Ficarei com raiva dela até o dia em que eu for embora dessa casa para sempre. Eu sei quem era. Estou com raiva porque ela não deixou o meu pai ficar.

– MUITO BEM, ROSE – minha mãe dizia quando eu entrei no quarto –, você vai ficar bonita. Me dê só uma meia horinha.

– Quem era ao telefone, querido? – Rose me perguntou.

Mal pude balançar a cabeça. Meus dedos tremiam.

– Charley? – perguntou minha mãe. – Você está bem?

– Não era... – engoli em seco – ninguém. Não responderam.

– Talvez fosse um vendedor – disse Rose. – Eles ficam com medo quando um homem atende o telefone. Eles gostam de velhas senhoras como eu.

Sentei. Eu me sentia subitamente sem forças, cansado demais até para manter a cabeça erguida. O que tinha acabado de acontecer? De quem era aquela voz? Como é que alguém sabia onde eu estava, mas não vinha me buscar? Quanto mais pensava, mais zonzo ficava.

– Você está cansado, Charley? – perguntou minha mãe.

– Me dê... só um segundo.

Meus olhos se fecharam de cansaço.

– Durma – ouvi uma voz dizer, mas não sabia de qual das duas, de tão exausto que estava.

Ocasiões em que minha mãe tomou meu partido

Estou com 15 anos e, pela primeira vez, preciso fazer a barba. Tenho uns fios perdidos no queixo e pêlos dispersos em cima do lábio. Minha mãe me chama no banheiro uma noite, depois que Roberta foi dormir. Ela tinha comprado um aparelho de barba Gillette, duas lâminas inoxidáveis e creme de barbear.

– Você sabe fazer isso?

– É claro – eu digo. Mas não tenho a menor idéia de como fazer.

– Então, vá em frente.

Espremo o tubo e aplico o creme de barba no rosto.

– Agora espalha – diz minha mãe.

Eu espalho até cobrir o queixo e o rosto inteiro. Pego o barbeador.

– Cuidado – ela diz. – Puxe numa direção só, não para cima e para baixo.

– Eu sei – reajo, irritado. Não gosto de fazer isso na frente da minha mãe. Devia ser o meu pai. Ela sabe disso. Eu sei disso. Mas nenhum de nós diz nada.

Sigo as instruções dela. Puxo numa só direção, deixando uma larga faixa de rosto livre da espuma. Quando passo a lâmina sobre o queixo, sinto uma picada e vejo um filete de sangue. Um corte.

– Ai, Charley, você está bem?

Ela me estende os braços, depois os recolhe, como se soubesse que não devia.

– Pare de se preocupar – eu digo, determinado a seguir em frente.

Ela observa. Eu continuo. Passo a lâmina pela mandíbula e pelo pescoço. Quando termino, ela descansa o rosto numa das mãos e sorri. E sussurra, com uma voz alegre:

– Puxa vida, você conseguiu!

Isso, pelo menos, faz com que eu ainda me sinta bem.

– Agora lave o rosto – ela diz.

Ocasiões em que eu não tomei o partido da minha mãe

É Halloween. Estou com 16 anos, grande demais para ir de porta em porta pedindo balas e doces. Mas minha irmã quer que eu saia com ela depois do jantar – está convencida de que depois que escurece é possível conseguir balas melhores. Eu concordo, relutante, já que minha nova namorada, Joanie, virá conosco. Joanie é uma líder de torcida do segundo ano, e eu, a essa altura, um astro do time de beisebol da escola.

– Vamos bem longe para pegar mais balas – diz minha irmã.

Faz frio lá fora, e nós vamos de casa em casa com as mãos enfiadas nos bolsos. Roberta recolhe as balas numa sacola de compras de papel pardo. Estou vestido com minha jaqueta de beisebol, e Joanie com seu moletom de chefe de torcida.

– Travessuras ou gostosuras! – berra minha irmã quando uma porta se abre.

– Ah, e quem é você, meu amor? – pergunta a mulher. Ela tem mais ou menos a mesma idade da minha mãe, mas é ruiva, usa um vestido caseiro e suas sobrancelhas estão malfeitas.

– Eu sou um pirata – diz Roberta... – Grrr!

A mulher sorri e põe uma barrinha de chocolate na sacola da minha irmã, como quem coloca uma moeda num cofrinho. A barrinha cai no fundo fazendo barulho.

– Eu sou irmão dela – eu digo.

– Eu... estou com eles – acrescenta Joanie.

– E eu conheço os seus pais?

A mulher está prestes a colocar outra barra de chocolate na sacola da minha irmã.

– Minha mãe é a Sra. Benetto – diz Roberta.

A mulher pára. Segura a barra de chocolate.

– Você quer dizer a Senhorita Benetto?

Ninguém sabe o que falar. A expressão da mulher mudou, suas sobrancelhas agora apontam para baixo.

– Escutem aqui, meus amores. Digam à sua mãe que meu marido não precisa assistir a seu desfile de moda na frente da loja dele todos os dias. Digam para ela não se engraçar para o lado do meu marido, ouviram bem? Eu não quero que ela se engrace para o lado dele.

Joanie olha para mim. Minha nuca arde.

– Posso levar essa também? – pergunta Roberta, com os olhos no chocolate.

A mulher aproxima a barra do peito de Roberta.

– Vamos, Roberta – balbucio, puxando-a.

– Deve ser mal de família – diz a mulher. – Vocês querem pôr suas mãos em tudo. Façam o que eu mandei! Digam a ela para não se engraçar para o lado do meu marido, ouviram bem?

A essa altura, já estamos quase na rua.

Rose dá adeus

QUANDO DEIXAMOS A CASA DE ROSE, o sol brilhava mais forte. Rose veio até a varanda para se despedir de nós, com o andador encostado no marco da porta.

– Bem, até logo, Rose, meu bem – disse minha mãe.

– Obrigada, querida – ela respondeu. – Vejo você em breve.

– É claro que sim.

Minha mãe beijou-a no rosto. Eu tinha de admitir que ela fizera um ótimo trabalho. Com o cabelo cortado e penteado, Rose parecia muito mais jovem do que quando chegamos.

– Você está ótima – eu disse.

– Obrigada, Charley. Esta é uma ocasião especial.

Ela ajeitou as mãos nos cabos do andador.

– Que ocasião? – perguntei.

– Estou indo ver meu marido.

Não quis perguntar onde ele estava, sabe como é, podia ser um asilo, ou um hospital, de modo que apenas disse:

– É? Puxa, que ótimo!

– Sim – ela falou, com suavidade.

Minha mãe puxou um fio solto no casaco dela. Depois olhou para mim e sorriu. Rose se virou e a porta se fechou.

Descemos cuidadosamente os degraus da varanda, minha mãe apoiada no meu braço. Ao chegarmos à calçada, ela fez menção de ir para a esquerda, e nós viramos. Agora, o sol batia direto em cima de nós.

– Que tal almoçarmos, Charley? – propôs minha mãe.

Eu quase ri.

– O que foi? – ela perguntou.

– Nada. Claro. Almoçar. – Fazia tanto sentido quanto tudo o mais.

– Você parece melhor agora... E que tal uma sesta depois?

Dei de ombros.

– Acho que sim.

Ela bateu na minha mão, carinhosamente.

– Sabe, ela está morrendo.

– Quem? Rose?

– Hum-hum.

– Não entendo. Ela parecia tão bem.

Minha mãe apertou os olhos por causa do sol.

– Vai morrer esta noite.

– Esta noite?

– Sim.

– Mas ela disse que vai ver o marido.

– E vai.

Eu parei.

– Mãe, como você sabe disso?

Ela sorriu.

– Eu a estou ajudando a se preparar.

III. Meio-dia

Chick e a universidade

EU DIRIA QUE o dia em que entrei para a universidade foi um dos mais felizes da vida da minha mãe. Pelo menos começou assim. A universidade se propusera a cobrir metade da anuidade com uma bolsa de jogador de beisebol, embora minha mãe, ao contar para as amigas, dissesse apenas "bolsa". Seu amor por essa palavra eliminava qualquer possibilidade de eu ter sido aceito para pegar na bola, não nos livros.

Eu me lembro bem da manhã do meu primeiro dia na faculdade. Minha mãe acordou antes de o sol nascer, e quando desci a escada, ainda cheio de sono, havia um café da manhã completo à minha espera – panquecas, bacon, ovos. – Seis pessoas não dariam conta daquela comida toda. Roberta queria vir conosco, mas eu falei que de jeito nenhum – querendo dizer com isso que já bastava ter de ir com minha mãe –, e ela teve de se consolar com um prato de torradas francesas cobertas de melado. Nós a deixamos na casa de um vizinho e começamos nossa viagem de quatro horas.

Como era uma grande ocasião, minha mãe vestiu um "conjuntinho" – terninho roxo, cachecol, salto alto e óculos escuros – e insistiu para que eu fosse de camisa branca e gravata.

– É o seu primeiro dia na universidade, não uma pescaria – ela disse.

Nós teríamos feito furor em Pepperville Beach, mas não se esqueça de que se tratava de uma universidade, em meados da década de 1960: quanto mais malvestido, mais adequado você estaria. Ao chegarmos ao campus, nos vimos rodeados de moças usando saia hippie e sandália, e rapazes de camiseta com cabelos caindo sobre as orelhas. E nós lá, de gravata e terninho roxo. Uma vez mais senti como se minha mãe lançasse sobre mim uma luz ridícula.

Ela quis saber onde ficava a biblioteca e achou quem nos desse a informação.

– Charley, olha só quantos livros – ela se maravilhava enquanto a percorríamos. – Em quatro anos não se consegue ler nem um por cento disso aqui.

Ela apontava para tudo.

– Olha só este gabinete... você poderia estudar aqui. – E: – Olha só este restaurante... você poderia almoçar aqui.

Eu tolerava isso porque sabia que ela logo iria embora. Mas quando atravessamos o gramado, meu olhar cruzou com o de uma garota mascando chiclete, de batom branco e cabelo caído na testa. Flexionei os músculos do braço e pensei: quem sabe vai ser a minha primeira namorada na universidade? Naquele exato momento minha mãe perguntou:

– Nós colocamos o seu estojo de toalete na mala?

Como responder a uma pergunta daquelas? Com um sim? Com um não? Com um "Pelo amor de Deus, mãe!"? Nada servia. A garota passou por nós e deu uma gargalhada, ou talvez eu tenha imaginado isso. De todo modo, nós não existíamos em seu universo. Eu a vi caminhar, mexendo as cadeiras, até debaixo de uma árvore onde dois sujeitos barbados se esparramavam. Ela beijou um deles na boca e deitou-se ao lado dos dois, e cá estava eu com minha mãe perguntando pelo meu estojo de toalete.

Uma hora depois eu trouxe a mala até a escada do alojamento. Minha mãe carregava meus dois bastões de beisebol, os bastões "da sorte" com os quais eu fora líder em *home runs* na Conferência do Condado de Pepperville.

– É aqui – eu disse, estendendo a mão. – Eu levo os bastões.

– Eu subo com você.

– Não, não precisa.

– Mas eu quero ver o seu quarto.

– Mãe.

– O quê?

– Deixa disso.

– O quê?

–Você sabe. Deixa disso.

Como não consegui pensar em nenhuma outra coisa que não fosse ferir seus sentimentos, apenas estendi a mão. Seu rosto despencou. Eu era, agora, 15 centímetros mais alto do que ela. Minha mãe me entregou os bastões. Eu os equilibrei em cima da mala.

– Charley – ela disse. Sua voz ficou mais suave, parecia diferente. – Dê um beijo na sua mãe.

Deixei a mala cair no chão, com um baque. Inclinei-me sobre ela. Nesse exato momento, dois estudantes mais velhos desciam a escada num tropel, batendo os pés, falando alto e rindo. Instintivamente, recuei.

– Desculpem – disse um deles, dando uma volta em torno de nós.

Depois que eles se afastaram, eu me inclinei com a intenção de dar um simples beijo no rosto de minha mãe, mas ela jogou os braços em volta do meu pescoço e me puxou. Senti o cheiro do seu perfume, do seu laquê, do seu creme para a pele, de todas as poções e loções com que ela havia se encharcado para aquele dia especial.

Afastei-me. Peguei a mala, virei-me e subi, deixando minha mãe na escada do alojamento, o mais perto de um curso universitário que ela jamais haveria de chegar.

O meio do dia

– ENTÃO, COMO VAI CATHERINE?

Estávamos de volta à cozinha, almoçando, como ela havia sugerido. Desde que ficara sozinho, eu fazia a maior parte das minhas refeições em bares e lanchonetes. Mas minha mãe sempre evitara comer fora de casa. "Por que pagar por comida ruim?", ela dizia. Depois que meu pai foi embora, deixou de haver qualquer dúvida. Nós comíamos em casa porque não tínhamos dinheiro para comer fora.

– Charley? Querido? – ela repetiu. – Como vai Catherine?

– Vai bem – menti, sem ter a menor idéia de como estava Catherine.

– E esse negócio da Maria ter vergonha de você? O que Catherine diz sobre isso?

Ela me passou um prato com um sanduíche de pão integral, carne assada, tomate e mostarda, cortado na diagonal. Eu já nem me lembrava da última vez que tinha comido um sanduíche cortado na diagonal.

– Mãe – eu disse –, para falar a verdade... Catherine e eu nos separamos.

Ela parou de cortar a carne. Parecia estar pensando em alguma coisa.

– Você ouviu o que eu disse?

– Hum-hum – ela respondeu em voz baixa, sem erguer os olhos. – Sim, Charley, eu ouvi.

– Mas não foi ela. Fui eu. Eu não tenho sido um cara legal há algum tempo, sabe? Foi por isso...

O que é que eu estava a ponto de dizer? *Foi por isso que eu tentei me matar?* Ela colocou o prato na minha frente.

– Mãe... – minha voz falhou. – Nós enterramos você. Você já morreu há muito tempo.

Fiquei olhando para o sanduíche, os dois triângulos de pão.

– Está tudo diferente agora – sussurrei.

Ela estendeu os braços, pegou meu rosto entre suas mãos e franziu o rosto, como se uma dor passasse dentro dela.

– As coisas podem ser consertadas – afirmou.

8 de setembro de 1967

Charley,

Que tal a minha datilografia? Tenho praticado no trabalho, na máquina da Henrietta. É muito bacana!

Eu sei que você só vai ler esta carta depois que eu for embora. Mas caso eu tenha esquecido, por ficar excitada demais com o fato de você ter entrado para a universidade, quero dizer uma coisa: estou muito orgulhosa de você, Charley. Você é a primeira pessoa da nossa família a entrar para a universidade!

Charley, seja amável com as pessoas. Seja amável com seus professores. Chame-os sempre de Sr. e Sra., embora eu tenha ouvido dizer que os universitários agora se dirigem aos seus professores pelo primeiro nome. Eu não acho que isso seja correto. E seja gentil com as garotas com quem sair. Eu sei que você não quer que eu lhe dê conselhos amorosos, mas o fato de as garotas acharem você bonito não lhe dá licença para ser grosseiro. Seja gentil.

E procure dormir bem. A Josie, uma cliente lá do salão, que também tem um filho na universidade, diz que ele dorme durante as aulas. Não insulte seus professores dessa maneira, Charley. Não durma durante as aulas. Você tem muita sorte de poder se instruir e não ter de trabalhar numa loja qualquer.

Amo você todos os dias.
Agora vou sentir sua falta todos os dias.
Com amor,

Mamãe

Quando os fantasmas retornam

EU COSTUMAVA SONHAR que reencontrava meu pai. Uma vez sonhei que ele tinha se mudado para uma cidade vizinha a Pepperville Beach e que eu fui de bicicleta até a casa dele, bati na porta, e ele me disse que era tudo um grande erro. Voltamos juntos para casa de bicicleta, eu na frente e meu pai pedalando com força atrás de mim. Quando chegamos, minha mãe saiu correndo de dentro de casa e desatou a rir de felicidade.

São incríveis as fantasias que nossa cabeça é capaz de criar. A verdade é que eu não sabia, e nunca descobri, onde meu pai morava. Eu passava por sua loja depois da aula, mas ele nunca estava lá. Agora, seu amigo Marty era o gerente, e me dizia que o meu pai passava o dia inteiro na loja de Collingswood. Ficava a apenas uma hora de carro, mas para um menino da minha idade era como se fosse na Lua. Depois de um tempo, parei de passar pela loja. Parei de fantasiar que voltávamos para casa de bicicleta. Concluí o primário e o secundário sem ter tido nenhum contato com meu pai.

Ele era um fantasma.

Mas eu ainda o via.

Eu o via toda vez que brandia o bastão e arremessava uma

bola, e foi por isso que nunca larguei o beisebol, que joguei, toda primavera e todo verão, em todos os times e campeonatos que pude. Eu o via na base principal acertando a posição do meu cotovelo e corrigindo minha postura com o bastão. Podia ouvi-lo gritando "Vai, vai, vai!" quando rebatia uma bola rasteira.

Um garoto sempre vê seu pai no campo de beisebol. Na minha cabeça, era apenas uma questão de tempo ele aparecer em pessoa.

Ano após ano, cada uniforme novo que eu vestia – meia vermelha, calça cinza, camisa azul, boné amarelo – me fazia sentir como se estivesse vestido para uma visita. Dividi minha adolescência entre o cheiro de papel dos livros, que eram a paixão da minha mãe, e o cheiro de couro das luvas de beisebol, que era a do meu pai. Meu corpo ficou parecido com o dele, forte e espadaúdo, só que cinco centímetros mais alto.

E, enquanto crescia, eu me agarrava ao jogo como a uma balsa num mar agitado, renovando minha fidelidade a cada rebatida.

Até que finalmente o beisebol me devolveu meu pai.

Como eu sempre soube que aconteceria.

ELE REAPARECEU na primavera de 1968, depois de oito anos de ausência, na minha primeira partida como universitário, sentado na primeira fila de cadeiras à esquerda da base principal, de onde podia apreciar melhor a minha técnica.

Nunca vou esquecer aquele dia. Ventava muito naquela tarde e o céu estava cor de chumbo, ameaçando chuva. Caminhei até a base. Geralmente não olho para o público, mas, por algum motivo, dessa vez olhei. E vi meu pai. Seu cabelo estava ficando grisalho nas têmporas, e seus ombros pareciam mais estreitos, a cintura um pouco mais larga, como se tivesse afundado sobre si mesmo, mas, fora isso, parecia o mesmo. Se estava pouco à vontade, não demonstrou. Mas, de qualquer jeito, eu não sei se seria capaz de reconhecer um olhar "pouco à vontade" em meu pai.

Ele me fez um aceno de cabeça. Tudo pareceu congelar. Oito anos. Oito anos inteiros. Senti meu lábio tremer. Lembro-me de uma voz em minha cabeça dizendo: *Não se atreva, Chick, não chore, seu filho da mãe, não chore.*

Olhei para os meus pés. Obriguei-os a se moverem. Mantive meus olhos neles o tempo todo em que permaneci na área do rebatedor.

E na primeira rebatida joguei a bola por cima do muro do campo.

Miss Thelma

O COMPROMISSO SEGUINTE da minha mãe era com uma pessoa que morava na parte da cidade que chamávamos de "Baixada", habitada em sua maior parte por pessoas pobres que viviam em casas geminadas. Eu estava certo de que precisaríamos pegar o carro, mas antes que tivesse tempo de perguntar a campainha tocou.

– Você atende, Charley? – pediu minha mãe, colocando a louça na pia.

Eu hesitei. Não queria responder a campainhas, nem atender telefones. Quando minha mãe falou outra vez "Charley? Você atende?", levantei e caminhei lentamente até a porta.

Eu disse a mim mesmo que estava tudo bem. Mas, no instante em que toquei na maçaneta, fui cegado por uma explosão, um verdadeiro banho de luz, e ouvi uma voz de homem, a mesma do telefone de Rose. Ele gritava:

– CHARLES BENETTO! EU SOU UM POLICIAL!

Senti como que uma ventania. A voz estava tão próxima que eu quase podia tocá-la.

– VOCÊ ESTÁ ME OUVINDO, CHARLES? EU SOU UM POLICIAL!

Recuei, cambaleando, e levei as mãos ao rosto. A luz desapareceu. O vento cessou. Eu só ouvia a minha própria respiração ofegante. Procurei imediatamente minha mãe, mas ela ainda estava junto à pia; o que quer que estivesse acontecendo comigo, estava acontecendo dentro da minha cabeça.

Depois de alguns segundos, tomei três longos fôlegos e virei cautelosamente a maçaneta da porta, com os olhos baixos, esperando o policial que tinha gritado comigo. Por alguma razão eu o imaginei jovem.

Mas, quando ergui os olhos, vi, em vez disso, uma senhora idosa, negra, com cabelos desgrenhados, óculos presos a uma corrente no pescoço e um cigarro aceso entre os dedos.

– É você, Chickadu? – ela perguntou. – Ora vejam só como ele cresceu.

NÓS A CHAMÁVAMOS de "Miss Thelma". Era a nossa faxineira. Magra e de ombros estreitos, tinha um sorriso largo e pavio curto. Usava o cabelo tingido de vermelho-alaranjado e fumava sem parar Lucky Strikes, que levava no bolso da camisa como um homem. Nascida e criada no Alabama, por algum motivo ela viera dar com os costados em Pepperville Beach, onde, no final da década de 1950, quase todas as casas do nosso lado da cidade empregavam alguém como ela. Elas eram chamadas de "domésticas" ou, pelas pessoas mais sinceras, de "empregadas". Todo sábado de manhã meu pai ia pegá-la na estação de ônibus perto da cafeteria Horn and Hardart's. No fim do dia, meu pai lhe pagava com notas dobradas, que eram passadas na altura do quadril como se ninguém devesse olhar o dinheiro. Ela ficava trabalhando enquanto estávamos no beisebol. Quando chegávamos em casa, eu encontrava meu quarto imaculadamente limpo e arrumado, quer eu gostasse ou não.

Minha mãe fazia questão de que a chamássemos de "Miss Thelma". Eu me lembro bem disso, assim como me lembro que não podíamos entrar em nenhum cômodo onde ela já tivesse passado o aspirador de pó. Ela às vezes brincava comigo de atirar bolas no quintal, arremessando com tanta força quanto eu.

Foi Miss Thelma quem inventou, inadvertidamente, o meu apelido. Meu pai tentava me chamar de "Chuck" (minha mãe odiava, dizendo "Chuck? Parece nome de vaqueiro!"), mas como eu estava sempre gritando do quintal para dentro de casa "Mããããeee!" ou "Robeeeerta!", um dia Miss Thelma se irritou e disse: "Menino, isso é jeito de gritar? Parece mais um galo. Chuckadudou-du!" Minha irmã, que ainda estava na pré-escola, dizia "Chickadudou-du! Chickadudou-du!" e, não sei por que, o "Chick" pegou. Acho que por causa disso meu pai não gostava muito de Miss Thelma.

– Posey – ela disse à minha mãe, abrindo um sorriso. – Tenho pensado em você!

– Ora, obrigada – respondeu minha mãe.

– Tenho mesmo.

Thelma virou-se para mim.

– Num dá mais pra jogar bola pra você, Chickadu. – Ela riu. – Já tô velha.

Estávamos no carro dela, que, eu acho, iria nos levar à Baixada. Parecia-me estranho que minha mãe fizesse o cabelo de Miss Thelma. Mas, afinal, eu não sabia quase nada da vida da minha mãe em sua última década de vida. Andara envolvido demais com meus próprios problemas.

No caminho, pela janela do carro, vi pela primeira vez outras pessoas. Um velho curvado, com uma barba grisalha, levava um ancinho para a garagem. Minha mãe acenou para ele, e ele acenou de volta. Uma mulher de cabelo esbranquiçado, com um vestido caseiro, estava sentada em sua varanda. Outro aceno de minha mãe. Outro aceno de volta.

Rodamos algum tempo até as ruas se tornarem mais estreitas e esburacadas. Pegamos uma estrada de terra e chegamos a uma casa, onde moravam duas famílias, com uma varanda coberta para onde davam duas portas rústicas urgentemente necessitadas de pintura. Na entrada, vi carros estacionados. Miss Thelma parou o seu e desligou a ignição.

E, como por encanto, estávamos dentro da casa. O quarto de dormir tinha um carpete verde-oliva e paredes revestidas de lambri. A cama era antiga, de dossel. Miss Thelma estava deitada nela, recostada em dois travesseiros.

– O que está acontecendo? – perguntei à minha mãe.

Ela balançou a cabeça como que dizendo "Agora não" e começou a abrir a bolsa. Ouvi uma algazarra de crianças no cômodo ao lado, acompanhada do som abafado de uma televisão ligada e de pratos sendo passados sobre a mesa.

– Todos pensam que eu estou dormindo – sussurrou Miss Thelma.

Ela olhou minha mãe nos olhos.

– Posey, eu gostaria muito que fosse agora. Pode ser?

– Claro! – respondeu minha mãe.

Ocasiões em que eu não tomei o partido da minha mãe

Eu não digo a ela que vi meu pai. Ele aparece no jogo seguinte e me faz um aceno com a cabeça quando chego na base principal. Dessa vez eu respondo com o mesmo gesto, discretamente, mas respondo. Faço um três-por-três nessa partida, com mais um home run *e dois duplos.*

Seguimos assim durante várias semanas. Ele senta. Assiste. Eu acerto a bola como se ela tivesse meio metro de diâmetro. Finalmente, depois de uma partida fora da cidade, em que faço mais dois home runs, *ele está à minha espera ao lado do ônibus da equipe. Veste um casaco azul sobre uma blusa branca de gola alta. Eu noto os fios grisalhos em suas costeletas. Ao me ver, ele levanta o queixo como se estivesse reagindo ao fato de agora eu ser mais alto do que ele. Estas são as primeiras palavras que ele me diz:*

– Pergunte ao seu técnico se eu posso levar você de volta para o campus.

Eu poderia ter feito qualquer coisa naquele momento. Poderia cuspir. Poderia mandá-lo para o inferno. Poderia ignorá-lo como ele nos ignorou durante tantos anos.

Poderia dizer alguma coisa sobre minha mãe.

Em vez disso, faço o que ele me pede. Peço permissão para não voltar no ônibus da escola. Ele está respeitando a autoridade do meu técnico, eu estou respeitando a autoridade do meu pai, e é assim que o mundo faz sentido, todos nos comportando como homens.

– NUM SEI, POSEY – disse Miss Thelma –, vai precisá de um milagre.

Ela se olhava num espelho de mão, enquanto minha mãe descarregava da bolsa seus potinhos e estojos decorados.

– Bem, esta é a minha bolsa de milagres.

– É mesmo? Você tem uma cura pro câncer aí dentro?

Minha mãe ergueu um frasco.

– Tenho creme hidratante.

Miss Thelma riu.

– Você acha que é bobagem, Posey?

– O que, meu amor?

– Querê ficá bonita... a esta altura?

– Não há nada de errado nisso.

– Bem, sabe, é que meus garotos e garotas estão aí fora. E os pequenos também. E eu gostaria de ficá com uma cara saudável pra eles, entende? Num gosto de fazê eles sofrê, me vê como se eu fosse um trapo velho.

Minha mãe passou hidratante no rosto de Miss Thelma, fazendo amplos movimentos circulares com as palmas das mãos.

– Você nunca poderia parecer um trapo velho, Thelma – ela afirmou.

– Ah, deixa disso, Posey.

As duas riram outra vez.

– Às vezes eu sinto falta dos nossos sábados – disse Miss Thelma. – A gente se divertia, né?

– Pra valer – respondeu minha mãe.

– Pra valer – concordou Miss Thelma.

Enquanto as mãos da minha mãe trabalhavam, seus olhos ficaram fechados.

– Chickadu, a tua mãe é a melhor parceira que eu já tive.

Eu não sabia muito bem a que ela se referia.

– Você também trabalhava no salão? – perguntei.

Minha mãe sorriu.

– Nada disso – falou Miss Thelma. – Eu num ia sabê deixá ninguém mais bonito, mesmo que quisesse.

Minha mãe fechou o frasco de hidradante e pegou um novo pote. Tirou a tampa e bateu de leve dentro dele com uma esponja.

– Como assim? – perguntei. – Não estou entendendo.

Ela segurava a esponja como uma artista pronta para aplicar pinceladas sobre a tela.

– Nós fazíamos faxina juntas, Charley – disse minha mãe.

Ao ver a minha expressão, ela fez um gesto de quem não dá importância ao assunto.

– Como é que você acha que consegui manter vocês na universidade?

NO SEGUNDO ANO da faculdade, eu tinha adquirido cinco quilos de músculos e minhas rebatidas refletiam esse crescimento. Minha média entre os jogadores universitários era uma das cinqüenta maiores do país. Por insistência do meu pai, joguei em vários torneios que serviam de vitrine para os olheiros profissionais, senhores que se sentavam nas arquibancadas com suas pranchetas e seus charutos. Um dia, um deles se aproximou de nós depois de uma partida.

– É o seu garoto? – ele perguntou ao meu pai.

Meu pai fez que sim com a cabeça, desconfiado. O homem tinha cabelo ralo e nariz redondo, e sua camiseta aparecia por baixo do suéter.

– Eu trabalho para o St. Louis Cardinals.

– É mesmo? – disse meu pai.

Meu coração quase saiu pela boca.

– Acho que temos uma vaga de receptor.

– É mesmo? – repetiu meu pai.

– Vamos ficar de olho no seu garoto, se ele estiver interessado.

O sujeito deu uma fungada profunda, um som molhado e ruidoso. Pegou um lenço e assoou o nariz.

– O problema – falou meu pai – é que o Pittsburgh já tem a preferência. Eles estão observando meu filho há algum tempo.

O homem estudou a mandíbula do meu pai, que mastigava sem parar o chiclete que trazia na boca.

– É mesmo? – imitou o olheiro.

É CLARO QUE TUDO ISSO era novidade para mim, e quando o sujeito foi embora crivei meu pai de perguntas. Quando foi que isso aconteceu? Essa pessoa existe mesmo? O Pittsburgh está mesmo me observando?

– E se estiver? – ele disse. – Isso não muda o que você tem de fazer, Chick. Mantenha-se em posição, trabalhe com seus treinadores e esteja preparado para quando chegar a hora. Eu cuido do resto.

Acenei, obedientemente. Minha cabeça girava.

– E a escola?

Ele coçou o queixo.

– E a escola?

A imagem da minha mãe entrando comigo na biblioteca passou como um raio. Tentei não pensar nela.

– O St. Louis *Caaardinals* – disse meu pai, arrastando lentamente as palavras. Firmou os sapatos na grama e abriu um enorme sorriso. Eu estava todo arrepiado de orgulho. Ele perguntou se eu queria uma cerveja, respondi que sim, e lá fomos nós tomar uma juntos, como fazem os homens.

– PAPAI VEIO ASSISTIR a uma partida.

Eu estava no telefone do alojamento. Isso foi bem depois da primeira visita do meu pai, o tempo de que precisei para tomar coragem de contar a ela.

– Hum – disse minha mãe, finalmente.

– Por conta própria – fui logo acrescentando. Por alguma razão aquilo me pareceu importante.

– Você contou para a sua irmã?

– Não.

Outro longo silêncio.

– Não deixe nada interferir em seus estudos, Charley.

– Não vou deixar.

– Isso é o mais importante.

– Eu sei.

– Estudar é tudo, Charley. Estudar é o caminho para você construir alguma coisa na vida.

Fiquei esperando a continuação. Fiquei esperando ela me contar alguma história horrível sobre alguma coisa horrível. Esperei, como todo filho do divórcio espera, alguma coisa que fizesse pender a balança, um caimento no piso que me convencesse a dar preferência a um dos lados. Mas minha mãe nunca me disse o motivo de o meu pai ter ido embora. Nem uma única vez ela mordeu a isca que minha irmã e eu balançávamos na sua frente, à procura de ódio ou amargura. Tudo o que ela fazia era engolir. Engolia as palavras, engolia o diálogo. O que quer que tenha acontecido entre eles, ela engoliu também.

– Tudo bem, eu e meu pai nos vermos?

– Meu pai e eu – ela corrigiu.

– Meu pai e eu – falei, exasperado. – Tudo bem?

Ela suspirou.

– Você não é mais um menino, Charley.

Por que será que eu me sentia como se ainda fosse?

PENSANDO RETROSPECTIVAMENTE na questão, há muita coisa que na época eu não sabia. Eu não sabia como ela de fato recebeu aquela notícia. Eu não sabia se ela havia ficado com raiva ou com medo. Eu com certeza não sabia que, enquanto eu tomava cerveja com meu pai, lá em casa as contas estavam sendo pagas com as faxinas feitas por minha mãe em parceria com a mulher que antes limpava a nossa casa.

Eu agora olhava para as duas no quarto, Miss Thelma recostada nos travesseiros, minha mãe fazendo-lhe a maquiagem com esponjas e delineadores.

– Por que você não me disse? – perguntei.

– Não disse o quê?

– Que para ganhar dinheiro você precisava...

– Fazer faxina? Lavar roupa? – minha mãe deu um risinho. – Não sei. Talvez por causa do jeito que você está me olhando agora.

Ela suspirou.

– Você era muito orgulhoso, Charley.

– Não era *não!* – retruquei.

Ela ergueu as sobrancelhas e voltou ao rosto de Miss Thelma.

– Se você está *dizendo...* – ela murmurou, com a respiração pesada.

– Não faça isso! – exclamei.

– O quê?

– Se você está *dizendo...* Isso.

– Eu não disse nada, Charley.

– Disse sim!

– Não grite.

– Eu não era orgulhoso! Só porque eu...

Minha voz falhou. O que eu estava fazendo? Meio dia com minha falecida mãe e já estávamos discutindo de novo?

– Não é vergonha precisá trabalhá – Miss Thelma afirmou. – Mas o único trabalho que eu sabia fazê era esse que eu fazia. Aí sua mãe falou "Bem, que tal?", e eu perguntei "Posey, você qué sê faxineira de outra pessoa?", e ela disse "Thelma, se você pode limpá uma casa, eu também posso, sem pobrema". Lembra disso, Posey?

Minha mãe suspirou.

– Eu não falei "pobrema".

Miss Thelma uivou de rir.

– Nã, nã, nã, isso mesmo, você não falou assim. Tenho certeza que não. Você não disse "pobrema".

Agora riam as duas. Minha mãe tentava trabalhar sob os olhos de Miss Thelma.

– Fica *quieta* – ela pediu, mas continuaram rindo.

– EU ACHO QUE A MAMÃE devia casar outra vez – disse Roberta.

Isso foi uma vez em que eu telefonei da faculdade.

– Do que você está falando?

– Ela ainda é bonita. Mas ninguém fica bonita para sempre. Ela já não é tão magra como antes.

– Ela não quer se casar.

– Como é que você sabe?

– Ela não precisa se casar, está bem, Roberta?

– Se ela não arranjar alguém agora, depois ninguém vai querê-la.

– Pára com isso.

– Ela já está usando cinta, Charley. Eu vi.

– Não me *importa*, Roberta! Meu Deus!

– Você se acha o máximo porque está na faculdade.

– Pára com isso.

– Você conhece aquela música "Yummy, Yummy, Yummy"? Eu acho uma besteira. Como se pode tocar uma coisa dessas o tempo todo?

– Ela anda falando com você sobre se casar?

– Talvez.

– Roberta, eu não estou brincando. O que foi que ela disse?

– Nada, está bem? Mas quem é que sabe em que diabo de lugar o papai se enfiou? A mamãe não devia ficar sozinha o tempo todo.

– Não pragueja – eu disse.

– Eu falo o que quiser, Charley. Você não manda em mim.

Roberta tinha 15 anos. Eu tinha 20. Ela não fazia a menor idéia do reaparecimento do meu pai. Eu o vira e conversara com ele. Ela queria ver a minha mãe feliz. Eu queria que minha mãe continuasse do mesmo jeito. Já haviam se passado nove anos desde aquela manhã de sábado em que ela esmagou os flocos de milho na palma da mão. Nove anos desde que nós três formamos uma família.

Na faculdade eu tinha aulas de latim. Um dia falou-se sobre a palavra "divórcio". Eu sempre pensei que ela viesse de "dividir". Na verdade, "divórcio" vem de *divertire*, que significa "desviar".

É nisso que eu acredito. O que o divórcio faz é desviar você de tudo o que você achava que sabia, de tudo o que achava que queria, e levar para outras coisas, como discussões sobre a cinta da sua mãe ou se ela deve ou não se casar outra vez.

Chick faz sua escolha

HÁ DOIS MOMENTOS da minha vida universitária que eu quero compartilhar com você, porque foram o ponto alto e o ponto baixo dessa experiência. O ponto alto aconteceu no segundo ano, no período das aulas do outono. Como a temporada de beisebol ainda não tinha começado, eu podia ficar de bobeira pelo campus. Numa noite de quinta-feira, depois dos exames de meio de período, um dos alojamentos deu uma grande festa. Tudo lotado e escuro. Som pesado. A luz negra fazia os pôsteres das paredes – e todo mundo na festa – ficarem fosforescentes. Nós ríamos alto e brindávamos com cerveja em copos de plástico.

A certa altura, um cara de trancinhas pulou em cima de uma cadeira e começou a fingir que tocava, numa guitarra imaginária, uma música do Jefferson Airplane. Rapidamente, aquilo se transformou num concurso, e todos começaram a procurar, nos engradados de discos, músicas que servissem para as apresentações.

Eu não sei de quem eram aqueles discos, mas achei um muitíssimo surpreendente e gritei para meus colegas:

– Ei! Esperem! Olha isso aqui!

Era o disco do Bob Darin que minha mãe costumava pôr para tocar quando éramos crianças. A capa mostrava Darin usando um smoking branco e o cabelo constrangedoramente curto e bem penteado.

– Eu conheço este aqui! – falei alto. – Sei a letra toda!

– Pára com isso! – disse um de meus colegas.

– Põe pra tocar! – zombou outro. – Olha só que panaca!

Apoderei-me do toca-discos e pus a agulha na faixa "Isso Pode Ser o Começo de Algo Importante". Quando a música começou, ficaram todos parados, porque obviamente não era rock and roll. De repente, eu fui em frente com meus dois amigos. Eles se entreolhavam, constrangidos, e apontavam para mim enquanto balançavam os quadris. Mas eu estava na minha, totalmente solto, pensando "E daí?". Enquanto os trompetes e clarinetes buzinavam nas caixas, eu declamava a letra que sabia de cor.

Você anda pela rua, ou está numa festa
Ou então está sozinho e se dá conta
De que olha nos olhos de alguém e então percebe
Que isso pode ser o começo de algo importante.

Eu estalava os dedos como os cantores do Steve Allen Show, e de repente todos riam e gritavam "Aí, Chick! Vai nessa". Fui ficando cada vez mais ridículo. Achava que ninguém ia acreditar que eu pudesse saber a letra de uma música tão cafona.

Mas, quando acabei, recebi uma grande ovação. Meus amigos me agarraram pela cintura e nós ficamos nos empurrando, rindo e xingando.

Foi nessa noite que conheci Catherine. Daí o ponto alto. Ela estava assistindo ao meu "número" junto com algumas amigas.

Quando nossos olhares se cruzaram, estremeci – mesmo enquanto fazia a minha mímica, balançando os braços. Ela estava com uma blusa sem manga de algodão cor-de-rosa, calça jeans de cintura baixa, brilho morango nos lábios e estalava os dedos enquanto eu "cantava" Bobby Darin. Até hoje não sei se ela teria prestado atenção em mim se eu não estivesse fazendo aquele papel ridículo.

– Onde você aprendeu essa música? – ela perguntou, aproximando-se enquanto eu tirava uma garrafa de cerveja do barril.

– Hã... minha mãe – respondi.

Eu me senti um idiota. Quem é que começa uma conversa com uma garota dizendo "minha mãe"? Mas ela pareceu gostar da idéia e, bem, daí nós continuamos.

No dia seguinte, recebi minhas notas e elas eram boas – dois A, dois B. Telefonei para minha mãe no salão de beleza. Quando ela atendeu, falei dos resultados, de Catherine e da canção de Bobby Darin. Ela pareceu feliz pelo simples fato de eu ter telefonado no meio do dia. Em meio ao ruído dos secadores, minha mãe berrava: "Charley, estou tão *orgulhosa* de você!"

Esse foi o ponto alto.

Um ano depois eu larguei a universidade.

Esse foi o ponto baixo.

LARGUEI A UNIVERSIDADE para jogar numa liga secundária de beisebol, por sugestão do meu pai, e para eterna decepção da minha mãe. Fui convidado para preencher uma vaga na organização do Pittsburgh Pirates, jogar na temporada de inverno e, quem sabe, compor o seu elenco das divisões secundárias. Meu pai achou que era a hora.

– Você não vai evoluir mais jogando contra universitários – ele afirmou.

Quando falei sobre a questão para minha mãe, ela berrou:

– De jeito nenhum!

Não interessava quanto o beisebol ia me pagar. Não interessava que os olheiros achassem que eu tinha potencial – talvez o bastante para chegar às divisões principais.

– De jeito nenhum! – foram as suas palavras.

Eu a ignorei completamente.

Fui à secretaria da faculdade, disse-lhes que estava indo embora, pus minhas coisas num saco de viagem e me mandei. Muitos rapazes da minha idade estavam sendo enviados para o Vietnã, mas o destino me reservou um número baixo no sorteio de convocação para as Forças Armadas. Meu pai, um veterano de guerra, pareceu aliviado.

– Ninguém merece passar pela experiência de uma guerra – ele afirmou.

Em vez do Vietnã, eu marchei na cadência dele e segui as suas ordens: fui jogar num time pequeno de San Juan de Porto Rico. E assim se acabaram os meus dias de estudante universitário. O que posso dizer a respeito? Que fui seduzido pelo esporte? Pela aprovação do meu pai? Pelos dois, eu acho. Aquilo me parecia uma coisa natural, como se estivesse de volta à trilha dos pedacinhos de pão que eu seguia quando era criança – antes de as coisas saírem dos trilhos e eu começar a minha vida de menino da mamãe.

Lembro-me de ter telefonado para minha mãe de San Juan, para onde voara direto da universidade, a primeira vez que entrei num avião. Não quis parar em casa porque sabia que ela faria um escarcéu.

– Chamada do seu filho a cobrar – disse a telefonista, com um sotaque espanhol.

Quando minha mãe se deu conta de onde eu me encontrava, e que o mal estava feito, ficou absolutamente abismada. Com uma voz sem expressão, perguntou que tipo de roupa eu tinha e como estava me alimentando. Era como se estivesse lendo uma lista de perguntas obrigatórias.

– É seguro esse lugar onde você está hospedado?

– Seguro? Acho que sim.

– Quem mais você conhece aí?

– Ninguém, mas tem um monte de gente do time, que eu vou conhecer. Eu tenho um companheiro de quarto. Ele é de Indiana, Iowa, um lugar assim.

– Hã-hã.

Silêncio.

– Mãe, eu posso voltar para a faculdade.

Dessa vez o silêncio foi mais longo. Ela só disse uma coisa antes de desligar:

– Voltar para qualquer coisa é muito mais difícil do que você pensa.

Acho que eu não poderia ter arranjado uma forma mais eficaz de partir o coração da minha mãe, mesmo que tentasse.

O trabalho que se tem de fazer

MISS THELMA FECHOU OS OLHOS, recostou a cabeça, e minha mãe retomou o trabalho. O cuidado com que ela passava a esponja no rosto de Miss Thelma me causava emoções contraditórias. Eu sempre achei que o que vinha depois do nosso nome era muito importante. Chick Benetto, *jogador de beisebol profissional*, e não Chick Benetto, *vendedor*. Agora eu ficava sabendo que depois de Posey Benetto, *enfermeira*, e de Posey Benetto, *esteticista*, veio Posey Benetto, *faxineira*. Sentia raiva por ela ter se rebaixado tanto.

– Mãe... – eu disse, hesitante – por que você não recebia dinheiro do meu pai?

O rosto de minha mãe ficou rígido.

– Eu não precisava de nada do seu pai.

– Hum-hum – acrescentou Miss Thelma.

– Mas eu me saí bem, Charley.

– Hum-hum, se saiu mesmo.

– Por que você não voltou para o hospital?

– Porque eles não me quiseram.

– Por que você não entrou com uma ação contra eles?

– Isso deixaria você feliz? – Ela suspirou. – Naquela época, as pessoas não moviam ações por qualquer coisa, como hoje. Não havia outro hospital na região, e nós não podíamos sair da cidade. Aqui era o nosso lugar. Você e sua irmã já tinham passado por mudanças demais. Mas tudo bem. Eu arranjei trabalho.

– De faxineira? – murmurei.

Ela abaixou as mãos.

– Eu não me envergonho disso como *você* – ela disse.

– Mas... – eu tropeçava em busca de palavras – desse jeito você não podia fazer o que era mais importante para você.

Minha mãe me olhou com um certo ar de desafio.

– Eu fiz o que era mais importante para mim – ela disse. – Eu era mãe.

FICAMOS EM SILÊNCIO depois disso. Até que Miss Thelma abriu os olhos.

– E você, Chickadu? – ela perguntou. – Ainda está "nas paradas", jogando beisebol?

Balancei a cabeça.

– Não, acho que não – ela disse. – Coisa de gente moça, beisebol. Mas pra mim você sempre vai sê aquele menininho de luva, tão sério.

– Charley tem uma família agora – falou minha mãe.

– É mesmo?

– E um bom emprego.

– É a vida, é a vida. – Miss Thelma descansou a cabeça. – Então cê tá indo muito bem, Chickadu. Bem demais.

Elas estavam totalmente erradas. Eu não estava indo nada bem.

– Eu detesto o meu trabalho – eu disse.

– Bem... – Miss Thelma deu de ombros. – Às vez isso acontece. Mas num pode sê muito pior do que esfregá banheira, pode? – Deu um sorriso arreganhado. – A gente faz o que tivé que fazê pra sustentá nossa família, num é, Posey?

Enquanto observava o encerramento daquele ritual, fiquei pensando em quantos anos Miss Thelma deve ter passado pilotando aspiradores e esfregando banheiras para sustentar os filhos e quantos xampus e tinturas minha mãe deve ter aplicado para nos sustentar. E eu? Eu passara só 10 anos jogando – e queria 20. De repente senti vergonha.

– Qual é o pobrema com esse seu emprego? – perguntou Miss Thelma.

Pensei no escritório de vendas, nas mesas de aço, na mortiça luz fluorescente.

– Eu não queria ser uma pessoa comum – balbuciei.

Minha mãe ergueu os olhos.

– Como assim, uma pessoa comum, Charley?

–Você sabe. Uma pessoa que os outros esquecem.

No quarto ao lado ouvia-se a algazarra das crianças. Miss Thelma apontou o queixo na direção de onde vinha o som e sorriu.

– É isso que faz eu num sê esquecida.

E fechou os olhos para que minha mãe trabalhasse neles. Respirou fundo e deitou-se mais confortavelmente.

– Eu não consegui manter a minha família unida – deixei escapar.

Minha mãe levou um dedo aos lábios, pedindo silêncio.

Ao meu Charley, no dia do seu casamento:

Eu sei que você vai achar bobo este bilhete. Eu vi, nesses anos todos, você franzir o rosto sempre que eu lhe entregava um. Mas entenda que às vezes eu quero dizer alguma coisa e gosto que seja da melhor forma.

Colocar no papel me ajuda. Eu gostaria de saber escrever melhor. Gostaria de ter feito uma faculdade. Se pudesse, acho que teria estudado inglês e melhorado meu vocabulário. Tenho sempre a sensação de que fico repetindo as mesmas palavras, como uma mulher que usa o mesmo vestido todos os dias. É tão chato!

O que quero lhe dizer, Charley, é que você está se casando com uma moça maravilhosa. Eu penso na Catherine, de muitas formas, como penso na Roberta: como uma filha. Ela é doce e paciente. Você deve ser assim com ela também, Charley.

O que você vai descobrir a respeito do casamento é o seguinte: vocês têm de construí-lo juntos. E têm de amar três coisas. Vocês têm de amar:

1) Um ao outro.
2) Seus filhos (Quando tiverem! Dica! Dica!).
3) Seu casamento.

O que quero dizer com este último é que haverá ocasiões em que vocês vão brigar, e às vezes Catherine e você vão achar que não gostam mais um do outro. Mas é nesses momentos que vocês têm de amar o casamento de vocês. Ele é como um terceiro parceiro. Nessa hora, olhem para as fotos do casamento. Olhem para as lembranças de tudo o que passaram. Se vocês acreditarem nessas lembranças, elas unirão vocês outra vez.

Hoje estou muito orgulhosa de você, Charley. Deixei este bilhete no bolso do seu smoking porque sei que você costuma perder as coisas.

Amo você todos os dias!
Mamãe

(Dos papéis de Chick Benetto, aproximadamente 1974.)

Chegando ao topo

EU AINDA NÃO CONTEI a melhor e a pior coisa que aconteceram na minha vida profissional. Com apenas 23 anos de idade, cheguei ao ponto máximo do beisebol: a Série Mundial. O receptor reserva do Pittsburgh Pirates tinha quebrado o tornozelo no começo de setembro, e eu fui chamado para substituí-lo. Ainda me lembro do dia em que entrei no vestiário acarpetado. Era inacreditavelmente grande. Liguei para Catherine – estávamos casados havia seis meses – e fiquei repetindo: "É *inacreditável*."

Algumas semanas depois, o Pirates ganhou a Liga. Eu estaria mentindo se dissesse que fui de alguma forma o responsável; eles já estavam em primeiro lugar quando eu cheguei. Joguei quatro entradas numa partida de play-off, e na minha segunda passagem pelo bastão rebati uma bola no fundo do jardim externo direito. Ela foi defendida, e eu, eliminado, mas me lembro de ter pensado: "É só o começo. Eu posso acertar essa bola."

Mas não foi o início de nada. Não para mim. Chegamos à Série Mundial, mas fomos derrotados em cinco partidas pelo Baltimore Orioles. Eu nem cheguei a rebater. Perdemos a última partida de 5 a 0, e depois da derrota eu me postei nos degraus do banco dos reservas para assistir os jogadores do Baltimore comemorarem, formando uma enorme pilha humana junto ao montículo do arremessador. Para os outros eles podiam parecer extasiados, mas para mim pareciam aliviados, como se a pressão tivesse acabado.

Nunca mais vi aqueles olhares, mas ainda sonho com eles algumas vezes. Eu me vejo naquela pilha.

SE O PIRATES TIVESSE VENCIDO o campeonato, haveria um desfile em Pittsburgh. Mas, como perdemos fora de casa, fomos para um bar de Baltimore e lá ficamos até fechar. Naquele tempo, as derrotas tinham de ser lavadas com álcool, e nós lavamos inteiramente a nossa. Como mais novo jogador do time, eu praticamente só ouvi os mais velhos resmungarem. Bebi o que se esperava que bebesse. Praguejava quando todos praguejavam. Já amanhecia quando saímos do bar, aos trambolhões.

Voamos de volta para casa algumas horas depois – naquela época, pegávamos vôos comerciais – e a maioria curtiu a ressaca dormindo. Havia uma fila de táxis à nossa espera no aeroporto. Apertamos as mãos uns dos outros, dizendo: "Nos vemos no ano que vem." Depois, as portas dos táxis fecharam em série, *bam, bam, bam.*

No mês de março seguinte, nos treinos da primavera, arrebentei o joelho. Estava correndo para a terceira base quando meu pé se enroscou com o do defensor, e ele caiu por cima de mim. Ouvi um tremendo estalo. O médico disse que eu tinha rompido os ligamentos colaterais anterior, posterior e médio, o pior que pode acontecer com o joelho.

Depois de uma temporada de molho, voltei a jogar. Mas nos

seis anos seguintes nunca mais cheguei nem perto das grandes ligas, por mais que me esforçasse e por melhor que eu achasse que estava me saindo. Era como se a magia tivesse se extinguido dentro de mim. A única evidência da minha época nas grandes ligas eram as fichas técnicas das partidas nos jornais do ano de 1973 e meu cartão de jogador, com uma foto minha segurando um bastão, o olhar sério, meu nome em maiúsculas e o cheiro indelével de chiclete. A gráfica me mandou duas caixas desses cartões. Despachei uma para o meu pai e fiquei com a outra.

Uma passagem curta pelo beisebol é chamada de "cafezinho", e foi isso o que eu tive. Mas foi um cafezinho na melhor mesa do melhor bar da cidade.

O que foi bom e ruim, é claro.

VEJA VOCÊ, EU ESTIVE mais vivo naquelas seis semanas com os Pirates do que jamais me senti antes ou depois. Os holofotes me davam a sensação de ser imortal. Agora eu sentia falta do imenso vestiário acarpetado, de andar pelos aeroportos com meus companheiros de equipe sob os olhares dos fãs, dos flashes das máquinas fotográficas, do rugido da multidão naqueles estádios enormes – da majestade de tudo aquilo. Sentia uma falta danada. Meu pai, também. Compartilhávamos uma sede de retorno nunca confessada, mas inegável.

Por isso eu me agarrei ao beisebol até muito depois da época em que devia ter parado. Ia de cidade em cidade, sempre jogando nas ligas menores, ainda acreditando, como a maioria dos atletas, que seria o primeiro jogador a desafiar a idade. Arrastei Catherine comigo pelo país inteiro. Tivemos apartamentos em Portland, Jacksonville, Albuquerque, Fayetteville e Omaha. Durante a gravidez, ela passou por três médicos diferentes.

Maria acabou nascendo em Pawtucket, Rhode Island, duas horas depois de uma partida assistida por umas 80 pessoas, antes que a chuva as dispersasse. Tive de esperar um táxi para chegar ao hospital. Estava quase tão molhado quanto minha filha, quando ela veio ao mundo.

Não muito tempo depois disso larguei o beisebol.

E nada do que tentei fazer sequer chegou perto. Tentei um negócio próprio, em que só perdi dinheiro. Procurei uma vaga de treinador de beisebol, sem sucesso. Acabei aceitando um emprego de vendedor numa empresa que fabricava recipientes plásticos para alimentos e produtos farmacêuticos. O trabalho era monótono. As horas custavam a passar. Pior, eu só consegui o emprego porque eles imaginaram que eu seria capaz de contar casos de beisebol e, quem sabe, fechar negócios naquelas farras típicas em que os homens falam de esporte.

É engraçado. Uma vez eu conheci um exímio montanhista. Perguntei a ele o que era mais difícil, subir ou descer. Ele disse que, sem dúvida, era descer, porque na subida você está tão concentrado em atingir o topo, que evita cometer erros.

– A descida de uma montanha é uma luta contra a natureza humana – ele acrescentou. – É preciso tomar na descida o mesmo cuidado que se toma na subida.

Eu podia ficar um tempão contando para você como foi minha vida depois do beisebol. Mas essa historinha explica tudo.

COMO ERA DE SE ESPERAR, meu pai se apagou junto com minha carreira esportiva. Ah, sim, ele veio ver o bebê algumas vezes. Mas não se mostrou tão fascinado pela neta quanto eu esperava. Com o passar do tempo, tínhamos cada vez menos sobre o que conversar. Ele vendeu suas lojas de bebidas e comprou 50% de uma distribuidora, o que dava para pagar suas contas com folga, sem que precisasse aparecer muito por lá. É engraçado. Embora eu estivesse à procura de emprego, ele nunca me ofereceu um. Acho que tinha passado tanto tempo me moldando para eu ser diferente que não queria me ver como um igual.

Mas não teria feito diferença. O beisebol era o nosso terreno comum, sem o qual vagávamos como dois barcos com os remos recolhidos. Ele comprou um apartamento num subúrbio de Pittsburgh, associou-se a um clube de golfe, desenvolveu uma forma branda de diabetes e tinha de cuidar da dieta e aplicar em si mesmo doses de insulina.

E tão naturalmente quanto surgiu sob o céu cinzento da universidade, meu pai caiu numa ausência nebulosa, interrompida por um ocasional telefonema e um cartão de Natal.

Você deve estar se perguntando se algum dia ele explicou o que acontecera entre ele e minha mãe. Não explicou. Dizia simplesmente: "Nós não demos certo." Quando eu insistia, ele acrescentava: "Você não ia entender." A pior coisa que ele disse da minha mãe foi: "Ela é muito cabeça-dura."

Foi como se eles tivessem feito um pacto de nunca falar sobre o motivo da separação. Eu fazia essa pergunta aos dois, mas só meu pai baixava os olhos ao responder.

Termina a segunda visita

– POSEY – sussurrou Miss Thelma –, agora eu vou fazer uma visitinha aos meus netos.

Ela parecia muito melhor do que quando tocara a campainha na casa da minha mãe. Sua pele estava lisa, e os olhos e a boca, bem maquiados. Minha mãe tinha escovado seus cabelos alaranjados, e pela primeira vez percebi que Miss Thelma era uma mulher atraente, que devia ter feito sucesso quando jovem.

Minha mãe beijou o rosto de Miss Thelma, fechou a bolsa e fez um gesto para que eu a seguisse. Fomos andando para a entrada, onde uma menininha de cabelo trançado veio na nossa direção, batendo os pés no chão.

–Vó? – ela disse. – Cê tá acordada?

Dei um passo para trás, e ela passou direto por nós, sem erguer os olhos, seguida por um garotinho – seu irmão, talvez – que parou no marco da porta e pôs um dedo na boca. Estendi o braço e balancei a mão na frente do seu rosto. Nada. Nós éramos invisíveis para eles.

– Mãe – perguntei baixinho –, o que está acontecendo?

Ela olhava para Miss Thelma, cuja neta agora estava em cima

da cama. As duas cantavam, batendo palmas. Minha mãe tinha lágrimas nos olhos.

– Miss Thelma está morrendo também?

– Em breve – respondeu minha mãe.

Dei um passo e fiquei na frente dela.

– Mãe. Por favor?

– Ela me chamou, Charley.

Olhamos os dois para a cama.

– Miss Thelma convocou você?

– Não, meu amor – minha mãe respondeu. – Eu vim à mente dela, é só isso. Fui um pensamento. Ela desejou que eu estivesse com ela para ajudá-la a ficar bonita, sem cara de doente. Foi por isso que eu vim.

– Um *pensamento?* – Baixei os olhos. – Não estou entendendo.

Minha mãe se aproximou. Sua voz suavizou-se.

– Você nunca sonhou com alguém que já se foi, Charley, conversando no sonho com essa pessoa mais uma vez? O mundo em que você entra quando sonha não fica tão distante daquele em que eu me encontro agora.

Ela colocou a mão sobre a minha.

– Uma pessoa que está em seu coração nunca vai embora de verdade. Ela pode voltar para você, mesmo nas horas mais improváveis.

Na cama, a menininha brincava com o cabelo de Miss Thelma, que olhou para nós e abriu um sorriso.

– Você se lembra da Sra. Golinski? – perguntou minha mãe.

Eu me lembrava. Era uma paciente do hospital. Doente terminal. Estava morrendo, mas costumava falar para minha mãe todos os dias sobre as pessoas que a "visitavam", pessoas do seu passado com quem ela conversava e ria. Minha mãe contava, na hora do jantar, que dava uma espiada no quarto e via a Sra. Golinski com os olhos fechados, sorrindo e murmurando palavras de uma conversa invisível. Meu pai disse que ela era "maluca". Morreu uma semana depois.

– Ela não era maluca – minha mãe disse agora.

– Então Miss Thelma está...

– Próxima. – Minha mãe apertou os olhos. – É mais fácil falar com os mortos quando se está mais próximo.

Senti uma onda de frio descer dos ombros até os pés.

– Isso significa que eu...

Pensei em dizer "estou morrendo". Pensei em dizer "estou no fim".

–Você é meu filho – ela sussurrou. – É isso.

Engoli em seco.

– Quanto tempo eu tenho?

– Algum – minha mãe respondeu.

– Não muito? – perguntei.

– O que é muito?

– Não sei, mãe. Eu vou ficar com você para sempre ou vou partir daqui a um minuto?

– Pode-se encontrar coisas verdadeiramente importantes em um minuto – ela respondeu.

De repente, todos os vidros da casa de Miss Thelma explodiram – janelas, espelhos, telas de TV. Os cacos se espalharam em volta de nós como se estivéssemos no olho de um furacão. Uma voz vinda de fora ecoava acima de tudo.

– CHARLES BENETTO! EU SEI QUE VOCÊ ESTÁ ME OUVINDO! RESPONDA!

– O que é que eu faço? – gritei para a minha mãe.

Ela piscou calmamente enquanto os estilhaços de vidro rodopiavam ao seu redor.

– É você quem decide, Charley – ela disse.

IV. Noite

A tarde cai

"QUANDO VOVÓ SE CANSAR DO CÉU, NÓS A QUEREMOS DE VOLTA, OBRIGADA." Minha filha tinha escrito isso no livro de presença do enterro da minha mãe, uma daquelas coisas originais mas impróprias, típicas de adolescentes. Mas, ao ver minha mãe outra vez, ao ouvi-la explicar como funcionava esse mundo "dos mortos", como ela era chamada à presença das pessoas que se lembravam dela – bem, achei que talvez Maria estivesse sabendo das coisas.

A tempestade de cacos de vidro na casa de Miss Thelma passou. Foi preciso manter os olhos bem fechados para fazê-la cessar. Estilhaços de vidro espetavam a minha pele, e eu tentava me livrar deles, mas mesmo isso parecia exigir um grande esforço. Cada vez mais fraco, eu sentia a vida esvair-se de mim. Aquele dia com minha mãe estava perdendo a luz.

– Eu vou morrer? – perguntei.

– Não sei, Charley – ela respondeu. – Isso só Deus sabe.

– Aqui é o céu?

– Aqui é Pepperville Beach. Você não se lembra?

– Se eu morri... se eu morrer... vou poder ficar com você?

Ela abriu um sorriso.

– Ah, quer dizer que *agora* você quer ficar comigo.

Talvez isso lhe pareça um tanto cruel. Mas minha mãe estava apenas sendo minha mãe, um pouco engraçada, um pouco implicante, do jeito que seria se tivéssemos passado esse dia juntos, *antes* de ela morrer.

Mas minha mãe tinha seus motivos. Eu escolhera tantas vezes *não* ficar com ela. Sempre ocupado demais. Cansado demais. Sem vontade de estar com ela. *Igreja?* Não, obrigado. *Jantar?* Sinto muito. *Vir me visitar?* Hoje eu não posso, talvez na semana que vem.

Você conta as horas que poderia ter passado com a sua mãe. Equivalem a uma vida inteira.

ELA PEGOU A MINHA MÃO. Depois da casa de Miss Thelma, nós simplesmente saímos caminhando. O cenário ia mudando à medida que fazíamos breves aparições na vida das pessoas. Reconheci algumas: eram velhas amigas de minha mãe. Eram também homens que eu mal conhecia, e outros que foram seus admiradores: um açougueiro chamado Armando, um advogado chamado Howard e um relojoeiro de nariz achatado chamado Gerhard. Minha mãe passou breves momentos com cada um deles, sorrindo ou sentada à sua frente.

– Quer dizer que eles estão pensando em você? – perguntei.

– Hã-hã – ela disse, balançando afirmativamente a cabeça.

– Você vai a todos os lugares em que alguém pensa em você?

– Não – ela respondeu. – A todos, não.

Aparecemos perto de um homem que olhava por uma janela. Depois ao lado de outro, numa cama de hospital.

– São tantos – eu disse.

– Eram apenas homens, Charley. Homens decentes. Alguns viúvos.

– Você saía com eles?

– Não.

– Algum a convidou?

– Muitas vezes.

– Por que você está vendo eles agora?

– Ora, coisa de mulher, eu acho. – Ela juntou as mãos e tocou o nariz, ocultando um sorrisinho. – É bom que ainda pensem na gente, sabe?

Estudei seu rosto. Sem dúvida, ela ainda era bonita aos setenta e tantos anos. Havia uma elegância nas rugas, os olhos atrás dos óculos, o cabelo – que no passado fora negro-azulado, como a noite fechada – agora prateado como uma tarde de céu nublado. Aqueles homens a viam como mulher, mas eu nunca a vira dessa forma. Nunca a conheci como Pauline, nome dado por seus pais, nem como Posey, nome que as amigas lhe deram, mas somente como Mamãe, nome que eu lhe dei. Só conseguia vê-la trazendo o jantar para a mesa com luvas de cozinha e me levando de carro com meus amigos ao boliche.

– Por que você não se casou outra vez? – perguntei.

– Ah, Charley – ela apertou os olhos. – Deixa isso pra lá!

– É sério. Depois que nós crescemos... você não se sentia só?

Ela desviou o olhar.

– Às vezes. Mas você e Roberta tiveram filhos, me deram netos, e eu tinha minhas amigas aqui. Você sabe como é, Charley, os anos passam.

Eu a vi fazer um gesto de resignação e sorrir. Tinha esquecido a pequena alegria de ouvir minha mãe falar de si mesma.

– A vida passa rápido, não é, Charley?

– É – murmurei.

– É uma pena perder tempo. A gente sempre acha que tem tempo de sobra.

Pensei nos dias que eu tinha trocado por uma garrafa. Nas noites de que eu não me lembrava. Nas manhãs que passei dormindo. Em todo o tempo que passei fugindo de mim mesmo.

– Você se lembra? – Ela começou a rir. – Da fantasia de múmia que eu fiz para você no Halloween? E da chuva que caiu?

Baixei os olhos. *"Você destruiu a minha vida."*

Desde pequeno, pensei, pondo a culpa nos outros.

– VOCÊ DEVIA COMER ALGUMA COISA – ela disse.

E com isso estávamos de volta à mesa redonda da nossa antiga cozinha, pela última vez. Tinha frango frito, arroz de açafrão e berinjela assada, tudo quente, tudo familiar, pratos que ela fizera para mim e para minha irmã centenas de vezes. Mas, em vez do atordoamento que tinha sentido de manhã naquela sala, eu agora estava inquieto, assustado, como se soubesse que alguma coisa ruim ia acontecer. Minha mãe me olhou, preocupada, e eu tentei desviar sua atenção.

– Fale-me da sua família – eu pedi.

– Charley – ela disse. – Eu já falei sobre isso.

Minha cabeça latejava.

– Fale de novo.

Foi o que ela fez. Falou-me de seus pais, ambos imigrantes, falecidos antes de eu nascer. Falou-me de seus dois tios e de sua tia maluca que se recusava a aprender inglês e ainda acreditava em maldições de família. Falou-me dos primos Joe e Eddie, que moravam do outro lado do país. Havia sempre uma história para identificar cada pessoa ("Ela morria de medo de cachorro", "Ele tentou entrar para a Marinha aos 15 anos de idade"), e agora me parecia importante conseguir ligar o nome ao caso. Roberta e eu adorávamos ouvir minha mãe contar essas histórias. Mas, anos mais tarde, depois do enterro, Maria me fez perguntas sobre a família – quem era quem –, e eu tive dificuldade de lembrar. Um bom pedaço de nossa história tinha sido enterrado com minha mãe. Você nunca deve deixar seu passado desaparecer assim.

Por isso, dessa vez ouvi com atenção minha mãe descrevendo todos os ramos da sua árvore genealógica, dobrando os dedos para trás ao falar de cada um. No final, ela juntou as mãos e seus dedos – como os personagens – se entrelaçaram.

– *Eeeentão* – ela disse, com seu jeito cantado. – Foi isso.

– Senti sua falta, mamãe.

Essas palavras transbordaram de mim. Ela sorriu, mas não respondeu. Parecia refletir sobre a frase, avaliar minha intenção, como se puxasse uma rede de pesca.

Aí, quando o sol ia se pondo em sabe-se lá que horizonte desse mundo em que nos encontrávamos, ela estalou a língua e disse:

– Temos uma última parada a fazer, Charley.

O dia que ele quis de volta

AGORA EU PRECISO CONTAR como foi a última vez que vi minha mãe viva e o que aconteceu.

Foi há oito anos, no dia em que ela fez 79 anos. Minha mãe tinha dito, brincando, que era melhor as pessoas virem à sua festa, porque "a partir do ano que vem eu nunca mais vou contar para ninguém que é meu aniversário". É claro que ela tinha falado a mesma coisa quando fez 69, 59 e, quem sabe, 29.

A festa era um almoço na casa dela, numa tarde de sábado. Lá estavam minha mulher, minha filha, minha irmã Roberta com o marido Elliot e os três filhos (a mais nova, Roxanne, de cinco anos, ia de sapatilhas de bailarina a toda parte), além de umas 20 pessoas do antigo bairro, inclusive as senhoras cujo cabelo minha mãe lavava e penteava. Muitas delas andavam mal de saúde; uma até foi numa cadeira de rodas. Mas estavam todas com o cabelo arrumado, aqueles capacetes armados com laquê, e eu fiquei pensando se minha mãe tinha organizado a festa só para elas terem um motivo para se enfeitar.

– Eu quero que a vovó faça a minha maquiagem! – disse Maria agarrada em mim, seu corpinho de 14 anos ainda meio frágil e desajeitado.

– Por quê? – perguntei.

– Porque sim. Ela disse que, se você concordar, ela faz.

Olhei para Catherine, que deu de ombros. Maria ficou batendo de leve no meu braço.

– P'favor, p'favor, p'favor, p'favor!

Já falei bastante sobre como minha vida ficou árida depois do beisebol, mas preciso dizer que Maria era a única exceção. Nessa época, ela era a minha maior alegria. Eu tentava ser um bom pai. Tentava prestar atenção nas pequenas coisas. Limpava o ketchup de seu rosto depois da batata frita. Sentava ao lado de sua pequena escrivaninha, lápis na mão, para ajudá-la a resolver problemas de matemática. Mandava ela trocar de roupa quando, aos 11 anos de idade, aparecia usando uma blusa frente-única. E estava sempre disponível para jogar bola e levá-la ao clube para as aulas de natação. Queria que ela continuasse a ser uma moleca o máximo de tempo possível.

Mais tarde, depois que saí de sua vida, fiquei sabendo que ela escrevia sobre esportes no jornal da universidade. E, nessa mistura de palavras com atividade física, percebi quanto os pais, querendo ou não, transmitem aos filhos.

A FESTA IA SEGUINDO entre o ruído de pratos, música tocando e, na sala, um burburinho de conversa. Minha mãe lia em voz alta seus cartões de congratulações como se fossem telegramas de dignitários estrangeiros – até os mais simples, de cor pastel, ilustrados com coelhinhos ("Pensei em ir até aí para lhe dizer...", "Desejo que seu aniversário seja um verdadeiro *estouro!*"). Ao terminar, ela exibia o cartão para que todo mundo visse e mandava um beijo para o signatário: "Mmmwah!"

Pouco depois da leitura dos cartões, mas antes do bolo e dos presentes, o telefone tocou. Na casa da minha mãe, o telefone podia tocar à vontade que ela não largava o que estava fazendo. Continuava a passar o aspirador, a limpar as janelas, sem dar a menor pelota, até que alguém atendesse.

Como ninguém atendia, eu atendi.

Se eu pudesse voltar atrás, teria deixado tocar.

– ALÔ? – FALEI, mais alto do que o burburinho da festa.

O telefone da minha mãe era um modelo antigo, com um fio de seis metros de comprimento, porque ela gostava de se movimentar enquanto falava.

– Alô? – repeti, apertando o fone contra o ouvido.

– Alôôô?

Estava a ponto de desligar, quando ouvi um pigarro de homem.

Aí meu pai disse:

– Chick? É você?

NO PRIMEIRO MOMENTO, não respondi. Estava atônito. Embora o número do telefone da minha mãe não tivesse mudado, era difícil acreditar que fosse meu pai. Sua saída daquela casa fora tão súbita e destrutiva, que ouvir sua voz era como ver um homem retornando a um edifício em chamas.

– Sim, sou eu – sussurrei.

– Ando à sua procura. Liguei para a sua casa e para o seu escritório. Então achei que você estaria aí e resolvi arriscar.

– Hoje é aniversário da mamãe.

– Ah, é claro – ele disse.

– Você queria falar com ela?

Essa frase saiu sem eu pensar. Eu me senti um idiota. Podia ver meu pai revirando os olhos.

– Chick, eu estive conversando com Pete Garner.

– Pete Garner...

– Dos Pirates.

– Ah é?

Fui me afastando dos convidados. Enquanto protegia o fone com a mão livre, olhava para duas senhoras sentadas no sofá comendo salada de atum em pratos de papel.

– Sabe o Jogo de Veteranos? – falou meu pai. – Pete me disse que Freddie Gonzalez está fora. Um problema qualquer com o trabalho dele.

– E o que isso tem a ver...

– É muito tarde para eles convocarem um substituto. Aí eu disse ao Pete: "Olha, o Chick está na área."

– Pai. Eu não estou na área.

– Mas pode estar. Ele não sabe o que você está fazendo.

– Um Jogo de Veteranos?

– Aí ele disse: "Ah, é? O Chick?", e eu falei: "É, e está em boa forma".

– Pai...

– Aí o Pete di...

– Pai...

Eu sabia onde isso ia parar. Percebi imediatamente. A única pessoa que sofreu mais do que eu quando abandonei a carreira no beisebol foi meu pai.

– O Pete disse que vão colocá-lo na lista. Tudo o que você precisa fazer é...

– Pai, eu só joguei...

– Vir até aqui...

– Seis semanas na divisão principal...

– Por volta das 10 da manhã...

– Eu só joguei...

– E aí você...

– Não dá para entrar num Jogo de Veteranos com seis semanas de...

– Afinal, qual é o problema com você, Chick?

Eu odiava esta pergunta: *Qual é o problema com você?* Não existe resposta boa, a não ser "Eu não tenho nenhum problema". O que claramente não era verdade.

Suspirei.

– Eles disseram que vão me colocar na lista?

– Foi o que acabei de falar.

– Para jogar?

– Você é surdo? É o que estou dizendo.

– E quando é isso?

– Amanhã. Os caras da organização vão estar aqui e...

– Amanhã, pai?

– Amanhã. Por quê?

– É que... já passa das três da tarde.

– Você vai estar no banco. Vai esbarrar nos caras. Aí você começa uma conversa...

– Esbarrar em quem?

– Em quem for. Anderson. Molina. Aquele treinador careca, o Mike Junez. Por favor, esbarre neles. Procure conversar, nunca se sabe.

– Nunca se sabe o quê?

– Aparece alguma coisa. Um lugar de treinador. De instrutor de rebatida. Alguma coisa nas divisões de base. Você começa lá de baixo...

– E por que eles haveriam de me querer?

– Porque é assim que essas coisas...

– Mas eu não rebato uma bola há...

– ...acontecem, é assim que elas acontecem, Chick. Você começa de baixo...

– Mas eu...

– Quando essas oportunidades aparecem, o importante é quem você conhece...

– Pai. Eu *tenho* um emprego.

Uma pausa. Ninguém melhor do que meu pai sabia ferir com uma pausa.

– Olha – ele disse, bufando. – Eu cavei essa oportunidade. Você quer ou não?

A voz dele tinha ficado alterada. O lutador estava com raiva, os punhos cerrados. Ele descartara a minha atual existência tão rapidamente quanto eu gostaria de poder fazer. Isso me colocou na defensiva, e na defensiva, é claro, se perde a luta.

– Tira a bunda do sofá e vem até aqui, certo? – ele disse.

– É aniversário da mamãe.

– Amanhã não é mais.

REVENDO ESSA CONVERSA, me ocorrem várias perguntas que eu gostaria de ter feito. Meu pai deu alguma bola para o aniversário da ex-mulher? Quis saber como ela estava? Quem estava na festa? Como estava a casa? Se ela pensava nele? Com amor? Com raiva? Em algum momento?

Eu gostaria de ter perguntado muitas coisas. Mas apenas desliguei o telefone dizendo que ligaria de volta e deixei a oportunidade que meu pai tinha "cavado" ficar dançando na minha cabeça.

Eu pensava nisso enquanto minha mãe cortava o bolo e punha os pedaços nos pratinhos de papel. Pensava nisso enquanto ela abria os presentes. Pensava nisso enquanto Catherine, eu e Maria – agora com sombra roxa nas pálpebras – posávamos ao lado dela para uma foto, e sua amiga Edith, com a câmera na mão, dizia *"Um, dois...* droga, eu nunca sei como se faz isso".

Forcei um sorriso imaginando o meu *swing*.

Tentei me concentrar. Tentei me deixar envolver pela festa de aniversário da minha mãe. Mas meu pai, sob vários aspectos um ladrão, tinha roubado a minha concentração. E antes que os pratos de papel ficassem vazios eu estava no porão, reservando por telefone a passagem no último vôo.

Minha mãe costumava começar suas frases dizendo "Seja um bom menino...". "Seja um bom menino e leve o lixo para fora...", "Seja um bom menino e vá até a...". Mas, com um único telefonema, o bom menino que eu era até aquele dia tinha se mandado, e outro tomara o seu lugar.

TIVE DE MENTIR para todo mundo. Não foi difícil. Eu usava um pager no trabalho, então telefonei do andar de baixo e subi rapidamente. Quando o pager tocou, na frente de Catherine, fingi irritação por estarem "me incomodando num sábado".

Fingi que retornava a ligação. Fingi que estava surpreso. Inventei que precisava me encontrar com um cliente que só podia se encontrar comigo naquele domingo – não era de amargar?

– Ele não pode esperar? – perguntou minha mãe.

– Eu sei que é ridículo – respondi.

– Mas e o nosso café da manhã especial de domingo?

– Mãe, o que você quer que eu faça?

–Você não pode telefonar para eles?

– Não, mãe, não posso – retruquei. – Eu não posso ligar para eles.

Ela baixou os olhos. Eu bufava. Quanto mais você defende uma mentira, mais irritado fica.

Uma hora depois, um táxi veio me buscar. Peguei minha bolsa. Abracei Catherine e Maria, evitando olhar seus sorrisos forçados que mais pareciam carrancas. Gritei adeus para os convidados, que gritaram de volta "Até logo, tchau, boa sorte"...

A última voz que ouvi foi a da minha mãe, acima de todas as outras:

– Eu amo você, Char...

A porta se fechou no meio da frase.

E eu nunca mais a vi.

Ocasiões em que minha mãe tomou meu partido

– Mas o que é que você entende de restaurante? – pergunta minha mulher.

– É um simples bar – eu respondo.

Estamos à mesa. Minha mãe está conosco, brincando com Maria de esconder o rosto. Isso foi depois que larguei o beisebol. Um amigo me propôs sociedade num negócio.

– Mas não é difícil dirigir um bar? – insiste Catherine. – Não tem coisas que você precisa saber?

– Ele entende dessas coisas – eu digo.

– O que você acha, mãe? – pergunta Catherine.

Minha mãe pega as mãos de Maria e fica virando para cima e para baixo.

– Você vai ter de trabalhar à noite, Charley? – ela pergunta.

– O quê?

– À noite. Você vai ter de trabalhar à noite?

– Eu sou o investidor, mãe. Não vou servir mesa.

– É muito dinheiro – diz Catherine.

– Se você não investe, não tem como ganhar – eu retruco.

– Mas é só isso que você tem que fazer? – pergunta Catherine.

Minha respiração fica pesada. Na verdade, eu não sei ao certo. Um jogador treina a si mesmo para não pensar muito em mais nada. Não consigo me imaginar atrás de uma mesa. É um bar. Eu entendo de bares. O álcool já começou a fazer parte da minha vida diária, e tê-lo à mão é muito tentador.

– Onde fica? – pergunta minha mãe.

– A meia hora daqui.

– Quantas vezes por semana você vai ter de ir lá?

– Não sei.

– Mas não à noite?

– Por que você fica perguntando o tempo todo se é à noite?

Ela remexe os dedos no rosto de Maria.

– Você tem uma filha, Charley.

Eu balanço a cabeça.

– Eu sei disso, mãe, está bem?

Catherine se levanta e começa a tirar a mesa.

– Isso me assusta, é só isso. Estou sendo sincera.

Eu me curvo sobre a mesa. Olho para baixo. Quando ergo os olhos, minha mãe está me observando. Ela coloca um dedo sob o queixo, levantando-o ligeiramente, me dizendo, dessa maneira, para fazer o mesmo.

– Sabe o que eu acho? – ela anuncia. – Acho que devemos tentar coisas novas na vida. Você acredita nisso, Charley?

Eu concordo com a cabeça.

– Fé, trabalho e amor – quem tem isso pode fazer qualquer coisa.

Eu me aprumo na cadeira. Minha mulher dá de ombros. O humor mudou. A situação melhorou.

Alguns meses depois o bar é inaugurado.

Dois anos depois ele fecha as portas.

Aparentemente, você precisa de algo além de fé, trabalho e amor. Pelo menos no meu mundo, se não no dela.

O jogo

NA NOITE DO JOGO de Veteranos fiquei hospedado no Hotel Best Western, o que me fez lembrar as partidas fora de casa no tempo em que eu era profissional. Não consegui dormir. Fiquei pensando em quantas pessoas haveria no estádio e se ainda conseguiria rebater um arremesso. Às 5h30, levantei da cama para me alongar um pouco, e a luz vermelha do telefone estava piscando. Liguei para a recepção. Tocou pelo menos umas 20 vezes.

– Alguma mensagem para mim? – perguntei, quando alguém finalmente atendeu.

– Um segundo... – grunhiu a voz – Sim, tem um pacote para o senhor.

Desci. O recepcionista entregou-me uma velha caixa de sapatos com meu nome escrito na tampa. Enquanto ele bocejava, eu a abri.

Meus sapatos de beisebol.

Aparentemente, meu pai os conservara durante todos aqueles anos. Deve tê-los deixado durante a noite, sem ligar para o meu quarto. Procurei um bilhete, mas não havia mais nada na caixa. Só os sapatos, com todas as suas antigas travas.

CHEGUEI CEDO AO ESTÁDIO. Ao contrário do costume, pedi ao taxista para me deixar perto da entrada dos jogadores, mas o guarda me encaminhou para o acesso dos funcionários, junto com os vendedores de cerveja e cachorro-quente. Os corredores do estádio, ainda vazio, cheiravam a gordura de salsicha. Era estranho retornar a esse lugar. Eu, que passara anos desejando voltar a jogar, agora ia disputar uma partida do Dia dos Veteranos, umas poucas rebatidas nostálgicas gratuitas para promover a venda de ingressos – como o Dia do Boné, o Dia da Bola e o Dia dos Fogos de Artifício.

Eu me encaminhei para o vestiário auxiliar que seria usado pelos veteranos. Na porta, um atendente verificou meu nome numa lista e me deu o uniforme.

– Onde é que eu posso...?

– Em qualquer um desses aí – ele disse, indicando uma fileira de armários azul-metálicos.

Dois sujeitos de cabeça branca que conversavam num canto me cumprimentaram movendo o queixo, sem interromper o assunto. Eu me senti um estranho, como se estivesse indo a um encontro de ex-secundaristas de uma turma que não era a minha. Repito, eu só tinha jogado seis semanas nas divisões principais. Não era provável que tivesse feito amizades para toda a vida.

MEU UNIFORME TINHA o nome “Benetto” pregado nas costas, embora, olhando com atenção, desse para ver no tecido a marca do outro nome que ali estivera antes. Passei a gola da camisa pela cabeça e enfiei os braços nas mangas.

Quando acabei de colocar a camisa para dentro da calça, virei-me e vi Willie “Bombardeiro” Jackson postado a alguns metros de mim.

Todo mundo conhecia Jackson, um rebatedor fantástico, famoso pela potência de suas rebatidas e por sua arrogância na base principal. Certa vez, durante os *play-offs*, ele apontou seu bastão para a cerca do lado direito antecipando o que ia fazer e desferiu um tremendo petardo: *home run*. Basta você fazer uma coisa assim uma vez na carreira para ser imortalizado, ainda mais com os replays da televisão. E ele foi.

Pois Jackson estava agora ao meu lado, sentado num banquinho. Eu nunca tinha jogado com ele. Rechonchudo, parecendo até um pouco inchado em seu agasalho de feltro azul, ele ainda conservava a antiga nobreza. Cumprimentou-me com um aceno de cabeça, que eu retribuí.

– E aí? – ele disse.

– Chick Benetto – falei, estendendo a mão. Ele agarrou meus dedos e deu um puxão. Não disse seu nome. Estava subentendido que não precisava.

– E aí, Chuck, o que você anda fazendo?

Não o corrigi. Disse que estava "atuando no mercado".

– E você? – perguntei. – Ainda no rádio?

– Hum-hum. Um pouco. Mas agora estou trabalhando principalmente com investimentos.

Assenti com a cabeça.

– Legal. É. Muito bom. Investimentos.

– Fundos de investimento – ele disse. – Fundos de ações, fundos imobiliários. Coisas assim. Fundos, basicamente.

Assenti novamente. Sentia-me um idiota por já estar de uniforme.

– E você está atuando no mercado – ele disse.

Virei a palma da mão para cima e para baixo.

– Sabe como é, uma coisa aqui, outra ali. – Mentira. Eu não estava nem aqui nem ali no mercado.

Ele me estudou, mexendo a mandíbula.

– Olha só. Eu posso investir para você.

Durante um momento as coisas ficaram nesse pé, o famoso Jackson querendo investir para mim, e eu pensando em arranjar um dinheiro que ainda não tinha. Mas quando ele meteu a mão no bolso, provavelmente em busca de um cartão, alguém gritou "JACKSON, SEU PEIDO GORDO!". Nós nos viramos e demos de cara com Spike Alexander, e os dois se abraçaram com tanta animação que quase caíram em cima de mim. Tive de sair do caminho.

Um minuto depois, eles estavam do lado oposto, cercados por outros, e assim terminou minha passagem pelos fundos de investimento.

O JOGO DE VETERANOS era disputado uma hora antes da partida principal, e por isso as arquibancadas estavam praticamente vazias quando começamos. Tocaram uma música e o locutor oficial deu as boas-vindas ao pequeno público. Fomos apresentados em ordem alfabética, a começar por um defensor externo chamado Rusty Allenback, que jogava no fim da década de 1940, seguido de Benny "Bobo" Barbosa, um defensor interno popular na década de 1960, dono de um largo sorriso. Ele saiu acenando para o público. Os fãs ainda o aplaudiam quando meu nome foi chamado. O locutor disse: "Da equipe campeã de 1973...", deu uma paradinha de suspense e anunciou: "...o receptor Charles 'Chick' Benetto!". O entusiasmo do público arrefeceu de repente, reduzindo-se a mera educação.

Saí correndo do banco e quase me embolei nas pernas do Barbosa. Queria ocupar meu lugar antes que os aplausos morressem, para evitar aquele silêncio constrangedor em que se consegue ouvir o ruído dos próprios pés pisando no cascalho. Em algum lugar daquela arquibancada estava meu pai, mas eu o imaginava de braços cruzados. Nenhum aplauso do time da casa.

E A PARTIDA COMEÇOU, finalmente. O banco parecia uma estação de trem, jogadores entrando e saindo o tempo todo, pegando bastões, esbarrando uns nos outros e arrastando as travas dos sapatos no chão de cimento. Joguei uma entrada como receptor, o que já foi muito, porque ficar agachado depois de todos aqueles anos fez as minhas coxas queimarem depois do terceiro arremesso. Eu passava o peso do corpo de um pé para o outro, até que um rebatedor, um sujeito alto, de braço cabeludo, chamado Teddy Slaughter, disse: "Ei, cara, quer parar de se mexer aí atrás?"

Para o público que chegava, eu acho que até parecia beisebol. Oito defensores, um arremessador, um rebatedor e um árbitro principal vestido de preto. Mas estávamos longe da dança fluida e poderosa dos nossos dias de juventude. Éramos lentos agora. Pesadões. Nossos *swings* eram duros, e nossos arremessos, altos e longos, com excesso de ar por baixo.

No banco, homens barrigudos que claramente haviam se rendido ao processo da idade soltavam piadas do gênero "Meu Deus, alguém quer me trazer um pouco de *oxigênio?*". E havia outros que ainda respeitavam o código de levar qualquer jogo a sério. Sentado ao meu lado, um defensor externo porto-riquenho que devia ter pelo menos 60 anos mascava tabaco, cuspia no chão e murmurava: "Vamos, neném, vamos..."

Quando chegou, finalmente, minha vez de rebater, o estádio estava com a lotação pela metade. Exercitei alguns *swings* e caminhei até a área do rebatedor. O sol se escondeu atrás de uma nuvem. Escutei um vendedor gritar. Uma gota de suor escorreu pelo meu pescoço. Eu me movimentava sobre um pé e outro. E, embora já tivesse feito tudo isso um milhão de vezes na vida – pegar o cabo do bastão, levantar os ombros, trancar a mandíbula, apertar os olhos –, meu coração disparou. Acho que tudo o que eu queria era sobreviver alguns segundos mais. Veio o primeiro arremesso. Deixei passar. O árbitro principal deu "primeiro arremesso, ruim" e eu tive vontade de lhe agradecer.

VOCÊ JÁ PAROU PARA PENSAR que, enquanto uma coisa acontece aqui, outra está acontecendo num lugar diferente? Minha mãe, depois do divórcio, costumava dizer, enquanto fumava um cigarro olhando o pôr-do-sol na varanda dos fundos: "Charley, o mesmo sol que se põe aqui está agora nascendo em outro país, na Austrália, na China, em algum lugar. Você pode procurar na enciclopédia."

Ela soprava a fumaça e ficava olhando os quintais enfileirados, com seus balanços e varais.

– O mundo é muito grande – ela dizia, pensativa. – Alguma coisa está sempre acontecendo em algum lugar.

Minha mãe estava certa. Alguma coisa está sempre acontecendo em algum lugar. Enquanto eu me posicionava na área do rebatedor naquele Jogo de Veteranos, e um arremessador de cabelos grisalhos lançava o que no passado fora a sua bola rápida, mas que agora apenas flutuava na direção do meu peito; enquanto eu fazia o *swing* e batia na bola produzindo aquele *Puoch!* que me era tão familiar, largava o bastão e começava a correr, certo de que fizera uma coisa fabulosa, esquecido dos meus antigos parâmetros, esquecido de que meus braços e pernas já não tinham a potência de outrora, de que quando você envelhece os muros ficam mais distantes; enquanto eu erguia os olhos e via que essa bola que à primeira vista tinha me parecido uma grande rebatida, talvez um *home run*, não passava de uma modesta tacada em direção à mão enluvada do defensor da segunda base, uma rebatidazinha alta e lenta, um petardo sem força, uma granada falhada; enquanto uma voz na minha cabeça gritava "Deixa cair, deixa cair a bola", e esse defensor da segunda base apertava sua luva ao redor da minha última oferenda a esse jogo enlouquecedor – enquanto tudo isso acontecia, uma outra coisa, tal como minha mãe um dia observara, acontecia com ela lá em Pepperville Beach.

De seu rádio relógio saía música de orquestra, seus travesseiros tinham acabado de ser afofados, e seu corpo estava encolhido como o de uma boneca quebrada no chão do quarto, onde ela fora buscar seus novos óculos de aros vermelhos.

Um ataque cardíaco fulminante.

Minha mãe dava seus últimos suspiros.

QUANDO O JOGO DE VETERANOS acabou, caminhamos na direção do túnel, cruzando com os principais jogadores que entravam em campo. A comparação era inevitável. Eles eram jovens e vigorosos, e nós, gordos e carecas. Acenei com a cabeça para um sujeito musculoso que trazia uma máscara de receptor. Foi como ver a mim mesmo saindo enquanto eu entrava.

No vestiário, arrumei minhas coisas rapidamente. Alguns tomaram banho, embora parecesse inútil. Não tínhamos trabalhado tanto. Dobrei a camisa do meu uniforme e levei-a como lembrança. Fechei o zíper da bolsa e fiquei sentado por alguns minutos, totalmente vestido. Mas não parecia fazer muito sentido.

Saí por onde tinha entrado, ou seja, pelo acesso dos funcionários. E lá estava o meu pai, fumando um cigarro e olhando para o céu. Parecia surpreso por me ver.

– Obrigado pelos sapatos – eu disse, levantando-os.

– O que é que você está fazendo aqui? – ele falou, irritado. – Não arranjou ninguém com quem conversar lá dentro?

Soltei um suspiro sarcástico.

– Não sei, pai. Acho que saí para lhe dar um alô. Já faz uns dois anos que não nos vemos.

– Meus Deus. – Ele balançou a cabeça, contrariado. – Como é que você pretende voltar para o jogo falando comigo?

Chick descobre que sua mãe morreu

– Alô?

A voz da minha mulher parecia abalada, perturbada.

– Oi, sou eu – falei. – Sinto muito, eu...

– Ai, Chick, ai meu Deus, nós não sabíamos onde te *achar*.

Minha mentira estava toda pronta – o cliente, a reunião, a história inteira –, mas agora ela desmoronava como uma parede demolida.

– Qual é o problema? – perguntei.

– É a sua mãe. Ai meu Deus, Chick. Onde você estava? Nós não...

– O que foi? O que foi?

Ela começou a chorar, arfando.

– Me diz – insisti. – *O que foi?*

– Um ataque cardíaco. Maria a encontrou.

– O quê?

– A sua mãe... ela morreu.

ESPERO QUE VOCÊ nunca ouça estas palavras. *A sua mãe morreu.* Elas são diferentes de todas as outras palavras. Grandes demais para caber em nossos ouvidos. Pertencem a alguma língua estranha, pesada, poderosa, que fica martelando na sua cabeça, um petardo demolidor que vem o tempo todo em cima de você, até abrir um buraco grande o bastante para caber no seu cérebro. E aí o despedaçam.

– Onde?

– Em casa.

– Onde, quer dizer, quando?

De repente os detalhes me pareciam extremamente importantes. Detalhes eram algo em que me agarrar, uma forma de me inserir na história.

– Como foi que ela...

– Chick – disse Catherine, com doçura –, vem pra casa, está bem?

Aluguei um carro. Dirigi a noite toda. Dirigi com meu choque e meu pesar no banco de trás e minha culpa no da frente. Cheguei a Pepperville Beach pouco antes do amanhecer. Parei na entrada da garagem. Desliguei o motor. O céu tinha uma cor púrpura esmaecida. Meu carro cheirava a cerveja. Sentado ali, vendo a aurora chegar, eu me dei conta de que não tinha telefonado para comunicar ao meu pai a morte da minha mãe. Senti, lá no fundo, que nunca mais voltaria a vê-lo.

E nunca mais o vi.

Perdi pai e mãe no mesmo dia, um para a vergonha, a outra para as trevas.

A terceira e última visita

MINHA MÃE E EU caminhávamos agora por uma cidade que eu não conhecia. Ela não tinha nada de muito característico: um posto de gasolina numa esquina, uma pequena loja de conveniência na outra. Os postes de telefone e a casca das árvores tinham cor de papelão, e a maioria das árvores estava totalmente desfolhada.

Paramos na frente de um prédio de apartamentos de dois andares, de cor amarelada.

– Onde estamos? – perguntei.

Minha mãe olhou para o horizonte. O sol já tinha se posto.

–Você devia ter comido mais no jantar – ela disse.

Revirei os olhos.

– Pára com isso, mãe.

– Qual o problema? Eu gosto de saber o que você comeu, é só isso.Você precisa se cuidar, Charley.

Vi em sua expressão aquela velha e inamovível montanha de preocupação. E cheguei à conclusão de que, quando você olha para a sua mãe, está olhando para o amor mais puro que já conheceu.

– Eu queria que tivéssemos feito isso antes, sabe, mãe?

– Antes de eu morrer, você quer dizer?

Minha voz ficou tímida.

– É.

– Eu estava aqui, Charley.

– Eu sei.

– Você andou ocupado.

Estremeci ao ouvir essa palavra. Parecia tão sem sentido agora. Vi uma onda de resignação passar pelo rosto dela. Creio que naquele momento estávamos ambos pensando em como as coisas seriam diferentes se pudéssemos começar de novo.

– Charley – ela perguntou –, eu fui uma boa mãe?

Abri a boca para responder, mas um clarão cegante apagou minha mãe da minha vista. Senti no rosto um calor como de um sol abrasador. E aí, mais uma vez, aquela voz tonitruante:

– CHARLES BENETTO, ABRA OS OLHOS!

Pisquei furiosamente. De repente eu estava a algumas quadras de distância da minha mãe, como se ela tivesse continuado a andar e eu, parado. Pisquei novamente. Ela estava ainda mais longe. Eu agora mal podia vê-la. Lancei-me à frente, com os dedos esticados e os ombros saindo de seus encaixes. Tudo girava. Eu tentava chamar seu nome, a palavra vibrando na minha garganta. Precisei usar toda a minha força.

E lá estava ela comigo outra vez, pegando a minha mão, na maior calma, como se nada tivesse acontecido. E planamos de volta ao lugar onde nos encontrávamos.

– Mais uma parada – ela repetiu.

MINHA MÃE ME FEZ VIRAR na direção do edifício amarelado, e instantaneamente estávamos dentro dele, num apartamento de teto baixo pesadamente mobiliado. O quarto de dormir era pequeno, revestido com um papel de parede verde-abacate. Da parede pendia um quadro representando um vinhedo e acima da cama, um crucifixo. No canto havia uma penteadeira de madeira clara, embaixo de um grande espelho. E diante desse espelho, sentada, uma mulher de cabelo escuro vestindo um roupão rosado.

Aparentava mais de 70 anos. Tinha um nariz longo e afilado e malares proeminentes sob a pele flácida, de um tom oliva. Com ar ausente e o olhar fixo, passava uma escova no cabelo.

Minha mãe aproximou-se por trás, sem nenhuma saudação. Em vez disso, estendeu as mãos, que se fundiram às da mulher, uma segurando a escova, a outra seguindo o movimento com a mão espalmada.

A mulher ergueu os olhos como para verificar seu reflexo no espelho, mas seu olhar era vago e distante. Acho que ela estava vendo a minha mãe.

Mas ninguém disse nada.

– Mãe – eu sussurrei finalmente. – Quem é ela?

Minha mãe se virou, as mãos no cabelo da mulher.

– Ela é a mulher do seu pai.

Ocasiões em que eu não tomei o partido da minha mãe

Pegue a pá, disse o pastor. Disse com os olhos. Eu devia jogar terra sobre o caixão da minha mãe, já meio baixado dentro do túmulo. O pastor explicou que minha mãe tinha presenciado esse ritual em funerais judaicos e pedira que o seu fosse assim. Achava que isso ajudaria os presentes a aceitar que o corpo se fora e o espírito é que devia ser lembrado. Eu podia ouvir meu pai censurando minha mãe: "Meu Deus, Posey, você vive inventando novidades."

Peguei a pá como uma criança segura um rifle. Olhei para a minha irmã, Roberta, que trazia um véu negro sobre o rosto e estava visivelmente agitada. Olhei para minha mulher, que olhava para os próprios pés, as lágrimas rolando pelas faces e a mão direita alisando ritmadamente o cabelo da nossa filha. Só Maria olhava para mim. E seus olhos pareciam dizer: "Não faça isso, pai. Devolva essa pá."

No beisebol, um jogador sabe quando está segurando seu próprio bastão e quando está segurando o bastão de outro. Era assim que eu me sentia com aquela pá na mão. Ela pertencia a outra pessoa. Não a mim. Pertencia a um filho que não mentia para a mãe. Pertencia a um filho cujas últimas palavras para a mãe não tinham sido de raiva. Pertencia a um filho que não fugira para satisfazer o último capricho de seu pai distante e que, para variar, tinha se ausentado de uma reunião familiar depois de decidir que "é melhor eu não estar aqui, não quero perturbar ninguém".

Esse filho teria ficado naquele fim de semana, dormido com sua esposa no quarto de hóspedes e tomado o café da manhã de domingo com a família. Esse filho teria estado presente quando sua mãe caiu fulminada. Esse filho poderia ter salvado sua mãe.

Mas esse filho não estava presente.

Este filho engoliu em seco e fez o que lhe disseram: jogou uma pá de terra sobre o caixão. A terra se espalhou e pedaços de cascalho chocaram-se ruidosamente contra a madeira polida. E, apesar de a idéia ter sido dela mesma, eu podia ouvir a voz da minha mãe dizendo: "Poxa, Charley. Como você foi capaz de fazer uma coisa dessas?"

Tudo explicado

ELA É A MULHER DO SEU PAI.

Como posso explicar essa frase? Impossível. Só posso contar o que o espírito da minha mãe me disse naquele estranho apartamento com um quadro de vinhedos na parede.

– Ela é a mulher do seu pai. Eles se conheceram durante a guerra, na Itália. Ele lhe disse isso, não foi?

Muitas vezes. Itália, fim de 1944, Vale do Pó, não muito distante de Bolonha.

– Ela vivia numa aldeia. Era pobre, e ele, um soldado. Você sabe como são essas coisas. Seu pai, naquela época, era muito... como dizer?... ousado.

Minha mãe olhava para as próprias mãos que escovavam o cabelo da mulher.

– Ela não é bonita, Charley? Eu sempre imaginei que fosse. Ainda é até hoje, você não acha?

Minha cabeça rodava.

– Como assim, mulher dele? Você era a mulher dele.

Ela assentiu, movendo a cabeça lentamente.

– Sim, eu era.

– Não se pode ter duas esposas.

– Não – ela sussurrou. – Você tem razão. Não se pode.

A MULHER PARECIA CHORAR BAIXINHO, com os olhos vermelhos e cansados. Não tomou conhecimento de mim, mas parecia escutar o que minha mãe dizia.

– Eu acho que o seu pai teve medo na guerra. Ele não sabia quanto tempo aquilo ia durar. Muitos homens morreram naquelas montanhas. Talvez ele tenha se sentido seguro ao lado dela. Talvez achasse que nunca voltaria para casa. Quem sabe? Seu pai sempre precisava de um plano, era uma coisa que ele sempre falava: "Tenha um plano."

– Não entendo – eu disse. – O papai não escreveu aquela carta para você?

– Sim.

– Pedindo você em casamento? E você não aceitou?

Ela suspirou.

– Acho que quando ele percebeu que a guerra estava acabando, resolveu retomar seu antigo plano comigo. As coisas mudam quando você não está mais correndo perigo, Charley. E então... – tirou os cabelos da mulher de cima dos seus ombros – ele a deixou para trás.

Minha mãe parou.

– Seu pai era bom nisso.

Balancei a cabeça.

– Mas por que você nunca...

– Ele nunca me contou, Charley. Nunca disse a ninguém. Mas a certa altura da nossa vida ele a reencontrou. Ou ela o encontrou. Trouxe-a para os Estados Unidos e montou uma vida paralela. Até comprou uma segunda casa. Em Collingswood, onde abriu a segunda loja, lembra?

A mulher abaixou a escova. Minha mãe recolheu as mãos e as entrelaçou embaixo do queixo.

– Era o *ziti* dela que o seu pai sempre quis que eu fizesse. – Ela suspirou. – Por algum motivo, isso ainda me perturba.

AÍ MINHA MÃE ME CONTOU o resto da história. Como descobriu tudo. Como um dia perguntou ao meu pai por que nunca recebiam nenhuma conta do hotel de Collingswood. Como ele mentiu dizendo que pagava em dinheiro, o que a deixou desconfiada. Como arranjou uma baby-sitter e foi de carro a Collingswood, numa sexta-feira à noite. E como, angustiada, percorreu todas as ruas até ver o Buick dele parado na frente de uma casa estranha e desatou a chorar.

– Eu tremia, Charley. Cada passo era um enorme esforço. Mas cheguei furtivamente à janela e olhei para dentro. Eles estavam jantando. Seu pai com a camisa desabotoada e a camiseta aparecendo, como sempre. Estava sentado à mesa, tranqüilo, relaxado, como se morasse ali, passando os pratos para esta mulher e...

Ela parou.

– Tem certeza de que quer ouvir isso?

Assenti com a cabeça, atordoado.

– O filho deles.

– O quê?

– Alguns anos mais velho do que você.

– Um... menino?

Minha voz saiu esganiçada.

– Sinto muito, Charley.

Fiquei tonto, com a sensação de estar caindo para trás. Mesmo agora, contando para você, tenho dificuldade de fazer as palavras saírem. Meu pai, que sempre exigira minha devoção, minha lealdade para com o time dele, o nosso time, o time dos homens da nossa família – tinha outro *filho?*

– Ele jogava beisebol? – sussurrei.

Minha mãe me olhou com um ar de desamparo.

– Charley – disse, quase chorando –, eu realmente não sei.

A MULHER DE ROUPÃO abriu uma pequena gaveta, pegou alguns papéis e folheou-os. Será que era mesmo quem minha mãe dizia? Sim, ela parecia italiana e aparentava a idade certa. Tentei imaginar meu pai quando a conheceu. Tentei imaginar os dois juntos. Eu não sabia nada sobre essa mulher, essa família, esse apartamento, mas sentia a presença do meu pai no cômodo inteiro.

– Naquela noite – contou minha mãe – eu voltei para casa e fiquei esperando sentada no meio-fio. Não queria nem que ele pusesse o carro na garagem. Quando seu pai chegou, já passava da meia-noite. Eu nunca vou esquecer a expressão do rosto dele quando os faróis me iluminaram, porque eu acho que naquele momento ele soube que fora descoberto.

Respirou fundo e continuou.

– Entrei no carro e o obriguei a fechar as janelas. Não queria que ninguém me ouvisse. E explodi. Explodi de um jeito que não deixou espaço para nenhuma mentira. Aí ele admitiu que tinha outra mulher, disse onde tinham se conhecido, e o que estava tentando fazer. Minha cabeça rodava. Meu estômago doía tanto que eu mal conseguia ficar ereta. A gente espera muitas coisas do casamento, Charley, mas ser *trocada* dessa maneira?

Ela se virou para a parede e seu olhar caiu sobre o quadro dos vinhedos.

– Eu não percebi muito bem quanto aquilo realmente tinha me ferido até meses depois. Dentro do carro, eu estava furiosa. E com o coração partido. Ele jurou que sentia muito, que não tinha conhecimento desse outro filho, mas que quando descobriu se sentiu na obrigação de fazer alguma coisa. Eu não sabia o que era verdade e o que não era. Mesmo aos gritos, o seu pai tinha resposta para tudo. – Respirou fundo de novo. – Mas nada mais importava. Estava tudo acabado. Você percebe? Eu podia ter perdoado seu pai por quase qualquer coisa que ele tivesse feito contra mim. Mas isso era uma traição a você e à sua irmã também.

Ela se virou para mim.

– A nossa família é uma só, Charley. Para o bem ou para o mal, a nossa família é uma só. Não se pode trocá-la por coisa nenhuma. Não se pode enganá-la. Não se pode ter duas famílias ao mesmo tempo.

E afirmou com força serena:

– A fidelidade à família é o que *faz* uma família.

Minha mãe suspirou.

– Então, tive de tomar uma decisão.

Tentei imaginar como tinha sido aquele momento terrível. Depois da meia-noite, dentro de um carro, com as janelas fechadas – vistas de fora, eram duas figuras berrando silenciosamente. Tentei imaginar as duas famílias dormindo, cada uma em sua casa, e as roupas do meu pai penduradas no armário das duas.

Tentei imaginar a encantadora Posey, de Pepperville Beach, perdendo sua antiga vida naquela noite, gritando e chorando ao ver tudo desmoronar. E percebi que, na lista das Ocasiões em que minha mãe tomou meu partido, esta deveria ocupar o topo.

– Mãe – sussurrei, finalmente –, e o que foi que você disse a ele?

– Disse para ele ir embora. E não voltar nunca mais.

Agora então eu sabia o que aconteceu na noite anterior aos flocos de cereal esmigalhados.

HÁ, EM MINHA VIDA, muitas coisas que eu gostaria de ter de volta. Muitos momentos que eu viveria de forma diferente. Mas, se eu pudesse mudar apenas um, não seria para mim, mas para minha filha Maria, que foi procurar a avó naquela tarde de domingo e a encontrou caída no chão. Ela começou a gritar, tentando despertá-la, entrou e saiu várias vezes do quarto, dividida entre pedir ajuda e não deixá-la só. Isso nunca deveria ter acontecido. Maria ainda era uma criança.

Creio que desse momento em diante eu não consegui mais encarar minha filha e minha mulher. Acho que é por isso que passei a beber tanto. Acho que a razão de eu viver me lamuriando e desejando ter uma vida diferente era porque, lá no fundo, eu achava que já não merecia a que tinha. Fugi. Neste sentido, acho que tive um comportamento lamentavelmente parecido com o do meu pai. Quando, duas semanas mais tarde, no silêncio do nosso quarto, confessei à minha mulher onde tinha estado naquele fim de semana, quando contei que não era uma viagem de negócios, mas um jogo de beisebol num estádio de Pittsburgh enquanto minha mãe agonizava, sua reação foi basicamente de apatia. Ficou me olhando como se quisesse dizer alguma coisa que acabou não dizendo.

No final, seu único comentário foi:

– A esta altura, que diferença faz?

MINHA MÃE ATRAVESSOU o pequeno quarto e se postou ao lado da única janela. Abriu a cortina.

– Está escuro lá fora – ela disse.

Atrás de nós, diante do espelho, a mulher italiana olhava para baixo, folheando seus papéis.

– Mãe, você odeia essa mulher?

Ela balançou a cabeça.

– Por que eu haveria de odiá-la? Ela só quis o mesmo que eu. E também não teve. O casamento deles acabou. Seu pai a deixou. Como eu disse, ele era bom nisso.

Ela agarrou os cotovelos, como se estivesse com frio. A mulher no espelho levou as mãos ao rosto e deixou escapar um pequeno soluço.

– Os segredos, Charley – minha mãe sussurrou –, acabam com a gente.

Ficamos os três em silêncio por um minuto, cada um em seu próprio mundo. Aí, minha mãe virou para mim e disse:

–Você tem de ir agora.

– Ir? – Minha voz sufocava. – Para onde? Por quê?

– Mas antes, Charley – ela pegou minhas mãos –, quero perguntar uma coisa.

Seus olhos estavam cheios de lágrimas.

– Por que você quer morrer?

Estremeci. Por um segundo não consegui respirar.

–Você sabia...?

Ela sorriu tristemente.

– Eu sou sua mãe.

Meu corpo teve um espasmo. Cuspi uma golfada de ar. – Mãe... eu não sou quem você pensa... eu estraguei tudo. Eu bebo. Eu destruí tudo. Eu perdi a minha família...

– Não, Charley.

– Perdi, sim. – Minha voz tremia. – Eu destruí tudo... Catherine foi embora, mãe. Eu a expulsei... Maria... eu nem faço mais parte da vida dela... ela se casou... e eu não estava lá... eu agora sou um estranho... sou um estranho em relação a tudo o que amei...

Meu peito arfava.

– E você... naquele último dia... eu não devia ter lhe deixado... eu queria dizer a você...

Abaixei a cabeça, envergonhado.

– ...que sinto muito... eu sou tão... tão...

Foi tudo o que consegui falar. Caí no chão, chorando compulsivamente, esvaziando-me, uivando de dor. Um calor intenso no fundo dos meus olhos fez o quarto se contrair. Não sei quanto tempo fiquei assim. Quando recuperei a voz, só consegui emitir um som áspero.

– Eu queria que isso acabasse, mãe... essa raiva, essa culpa. Foi por isso... que eu quis morrer...

Ergui os olhos e, pela primeira vez, admiti a verdade.

– Eu desisti – sussurrei.

– Não desista – ela sussurrou também.

Então, não tenho vergonha de dizer isso, enterrei minha cabeça nos braços da minha mãe, e as mãos dela me embalaram. Por um breve instante, permanecemos nos braços um do outro. Não consigo encontrar palavras para exprimir como me senti reconfortado naquele momento. Só sei dizer, como estou dizendo para você agora, que ainda anseio por ele.

– Eu não estava lá quando você morreu – sussurrei.

– Você tinha uma coisa para fazer.

– Eu menti. Foi a pior mentira que contei em toda a minha vida... Eu não fui trabalhar. Fui jogar uma partida de beisebol... uma partida idiota... eu estava desesperado para agradar...

– Seu pai.

Ela moveu a cabeça delicadamente.

E eu percebi que ela sabia o tempo todo.

Do outro lado do quarto, a mulher italiana estreitou o roupão junto ao corpo e entrelaçou as mãos, como se estivesse rezando. Nós formávamos um estranho trio, cada um, a certa altura, querendo ser amado pelo mesmo homem. Eu ainda podia ouvir a voz dele, obrigando-me a decidir: *Menino da mamãe ou menino do papai? O que você vai ser, Chick?*

– Eu fiz a escolha errada – sussurrei.

Minha mãe balançou a cabeça.

– Crianças não deveriam nunca ser forçadas a fazer escolhas.

A MULHER ITALIANA, agora de pé, enxugou as lágrimas e se recompôs. Colocou os dedos na borda da penteadeira e aproximou dois objetos. Minha mãe empurrou-me para eu poder ver o que ela olhava.

Um dos objetos era a foto de um rapaz com um chapéu de formatura. Imaginei que fosse o filho dela.

O outro era o meu cartão de jogador de beisebol.

Ela ergueu rapidamente os olhos para o espelho e captou nossos reflexos, os três enquadrados, como num estranho retrato de família. Pela primeira e única vez, eu tive certeza de que ela me via.

– *Perdonare* – murmurou a mulher.

E tudo desapareceu.

Chick conclui a sua história

VOCÊ JÁ CONSEGUIU resgatar a lembrança mais antiga da sua infância? A minha é de quando eu tinha três anos. Era verão e estávamos num parque de diversões, perto da nossa casa. Havia bolas de gás coloridas e algodão-doce. Um grupo de rapazes que acabavam de sair de um cabo-de-guerra fazia fila no bebedouro.

Eu devia estar com sede, porque minha mãe me pegou pelas axilas e me levou para a frente da fila. Lembro que ela entrou na frente daqueles homens suados e sem camisa, passou o braço em volta do meu peito, acionou o botão com a outra mão e sussurrou no meu ouvido: "Beba, Charley." Eu me curvei para a frente e sorvi a água, os pés pendurados, enquanto todos aqueles rapazes simplesmente ficaram esperando que terminássemos. Ainda posso sentir o braço dela em volta do meu corpo. Ainda posso ver a água borbulhante. Esta é a minha lembrança mais antiga: mãe e filho – o mundo éramos nós dois.

Agora, no final daquele último dia com minha mãe, estava acontecendo a mesma coisa. Meu corpo parecia quebrado, e eu mal conseguia me mover. Mas minha mãe passou o braço em torno do meu peito, e tive a sensação de que ela me carregava mais uma vez, a brisa roçando o meu rosto. Estava tudo escuro, como se passássemos por trás de uma cortina. Então, a escuridão se dissipou e apareceram estrelas. Milhares delas. Minha mãe me deitou na relva molhada, devolvendo minha alma arruinada para este mundo.

– Mãe... – minha garganta arranhava. Eu precisava engolir entre as palavras. – Aquela mulher?... O que foi que ela disse?

Ela pousou delicadamente os meus ombros no chão.

– "Perdoar."

– Perdoá-la? Perdoar o papai?

Minha cabeça tocou a terra. Senti um filete de sangue escorrer pela têmpora.

– Perdoar-se – ela disse.

Senti o meu corpo travar. Não conseguia mover os braços nem as pernas. Eu me esvaía.

– Sim – eu disse, com a voz áspera.

Ela pareceu confusa.

– Sim, você foi uma boa mãe.

Ela levou a mão aos lábios para esconder um sorriso e pareceu transbordar de satisfação.

– Eu quero que você viva – ela disse.

– Não, espere...

– Eu te amo, Charley.

E fez um aceno com as pontas dos dedos. Eu chorava.

– Eu vou te perder...

Seu rosto parecia flutuar sobre o meu.

– Você não pode perder sua mãe, Charley. Eu estou aqui.

Aí, um imenso clarão de luz apagou a sua imagem.

– CHARLES BENETTO, VOCÊ ESTÁ ME OUVINDO?

Senti um formigamento nos lábios.

– NÓS VAMOS LEVÁ-LO AGORA.

Eu quis puxá-la de volta.

–VOCÊ ESTÁ CONOSCO, CHARLES?

– Eu e minha mãe – balbuciei.

Senti uma espécie de beijo em minha testa.

– Minha mãe e eu – ela corrigiu.

E se foi.

PISQUEI COM FORÇA. Vi o céu e as estrelas. Então as estrelas começaram a cair. Foram ficando cada vez maiores e mais próximas, redondas e brancas, como bolas de beisebol, e instintivamente espalmei as mãos como que abrindo a luva para pegá-las.

– ESPERE. OLHE AS MÃOS DELE!

A voz se tornou mais suave.

– CHARLES?

Mais suave ainda.

– Charles?... Você está aí, cara. Volta para nós... EI! GENTE!

Ele acenou com a lanterna para os dois outros policiais. Era jovem, exatamente como eu tinha imaginado.

Os pensamentos finais de Chick

BEM, COMO DISSE quando você se sentou aqui, eu não espero que acredite em mim. Eu nunca tinha contado essa história para ninguém, mas tinha vontade de contar. Estava esperando esta chance. E fico feliz por ela ter aparecido, agora que tudo acabou.

Eu esqueci muitas coisas em minha vida, mas consigo me lembrar de cada instante daquele dia com minha mãe, as pessoas que vimos, as coisas que discutimos. Parecia tão comum, sob vários aspectos, mas, como ela mesma disse, a gente pode encontrar uma coisa verdadeiramente importante num minuto comum. Talvez você ache que eu sou maluco, que imaginei essa história toda. Mas eu acredito em tudo o que falei, do fundo da minha alma: a minha mãe, em algum lugar entre este mundo e o outro, me deu mais um dia, o dia que eu queria tanto, e me disse tudo o que eu contei para você.

E se minha mãe disse, eu acredito.

– O que causa o eco? – ela me perguntou um dia.

A persistência do som depois que cessa a fonte.

– Quando se pode ouvir um eco?

Quando tudo está em silêncio e os outros sons são absorvidos.

Quando tudo está em silêncio, eu ainda consigo ouvir o eco da minha mãe.

Hoje eu sinto vergonha de ter tentado me matar. A vida é preciosa. Eu não tinha ninguém para me segurar na hora do desespero, e esse foi o meu erro. Precisamos manter um contato próximo com as pessoas. Precisamos deixar que as pessoas tenham acesso ao nosso coração.

Quanto ao que aconteceu nesses últimos dois anos, há muitos detalhes: o tempo que fiquei no hospital, o tratamento que recebi, a convalescença. Mas digamos apenas que eu tive sorte em muitos níveis. Estou vivo. Não matei ninguém. Não bebo uma gota de álcool desde aquele dia – embora alguns dias sejam mais difíceis do que outros.

Tenho pensado muito sobre aquela noite. Acredito que minha mãe salvou a minha vida. Acredito também que, quando os pais nos amam, eles nos mantêm seguros, protegidos das águas revoltas de suas vidas. Às vezes isso significa que talvez você nunca venha a saber o que eles suportaram, e por isso os trate agressivamente, fazendo coisas que não faria se soubesse.

Mas por trás de tudo tem uma história. Como um quadro foi parar numa parede. Como uma cicatriz chegou ao seu rosto. As histórias às vezes são simples, às vezes, tristes e dolorosas. Mas por trás de todas as nossas histórias está a história da nossa mãe, porque é aí que começamos.

Portanto, esta foi a história da minha mãe.

E a minha.

Eu gostaria de me reconciliar com as pessoas que amo.

Epílogo

CHARLES "CHICK" BENETTO morreu no mês passado, cinco anos depois de ter tentado o suicídio e três depois do nosso encontro naquela manhã de sábado.

Foi um enterro simples; só estavam presentes alguns membros da família – dentre os quais sua ex-mulher – e vários amigos de infância de Pepperville Beach, que se lembravam de ter subido com ele na torre de água e pichado seus nomes nos tanques com tinta spray. Ninguém dos seus dias de beisebol compareceu, embora o Pittsburgh Pirates tenha mandado um cartão de pêsames.

Seu pai estava lá. Ficou no fundo da igreja – um homem esguio, de ombros curvados e cabelos brancos e ralos. Usava um terno marrom e óculos escuros. Saiu rapidamente logo depois do culto.

A morte de Chick foi decorrente de um mal súbito. Uma embolia cerebral o matou quase que instantaneamente. Os médicos acham que seus vasos sanguíneos podem ter se debilitado com o trauma na cabeça que sofreu no acidente de carro. Ele tinha 58 anos quando morreu. Jovem demais, na opinião geral.

E quanto aos detalhes de sua "história"? Ao organizar este

relato, verifiquei quase todos. Houve, de fato, um acidente na alça de acesso à rodovia naquela noite. Um carro caiu na ribanceira depois de bater na frente de um caminhão, cuspiu o motorista sobre a relva e destruiu um painel de propaganda.

Houve, de fato, uma viúva chamada Rose Templeton que morava em Lehigh Street, em Pepperville Beach, e que morreu pouco depois do acidente. Houve também uma Miss Thelma Bradley, que morreu pouco tempo depois, e cujo obituário no jornal local a identificou como "doméstica aposentada".

Uma certidão de casamento foi emitida em 1962 – um ano depois que os Benetto se divorciaram – para Leonard Benetto e Gianna Tusicci, confirmando um casamento anterior na Itália. Leo Tusicci, presumivelmente filho deles, matriculou-se na Collingswood High School no começo da década de 1960. Não havia nenhum outro registro dele.

E quanto a Pauline "Posey" Benetto? Ela morreu de ataque cardíaco aos 79 anos de idade, e os detalhes de sua vida conferem com o que está relatado nestas páginas. Seu senso de humor, afetividade e sabedoria maternal foram atestados pelos membros da familia. No salão de beleza onde trabalhou ainda há uma foto sua com um guarda-pó azul e brincos de argola.

Parece que os últimos anos de vida de Chick Benetto lhe trouxeram alguma satisfação. Ele vendeu a casa da mãe em Pepperville Beach e destinou o dinheiro à sua filha. Mais tarde, mudou-se para um apartamento próximo do dela e restabeleceram o relacionamento. Todo sábado de manhã eles conversavam sobre os acontecimentos da semana entre xícaras de café e rosquinhas fritas. Apesar de não ter se reconciliado totalmente com Catherine Benetto, os dois fizeram as pazes e se falavam regularmente.

Seus dias de vendedor terminaram, mas até morrer Chick

trabalhava meio período numa agência local de parques e atividades recreativas, onde estabeleceu uma regra para os jogos organizados: todo mundo participa.

Uma semana antes do ataque que o matou ele pareceu pressentir seu fim, pois dizia aos que o cercavam: "Lembrem-se do Chick destes dias, não do Chick dos outros."

Foi enterrado perto de sua mãe.

COMO HÁ UM FANTASMA envolvido, talvez você diga que esta é uma história de fantasmas. Mas qual família não é uma história de fantasmas? Contar histórias daqueles que perdemos é nossa maneira de não perdê-los de fato.

E embora Chick já tenha nos deixado, sua história continua nos outros. Continua em mim. Eu não acho que ele era louco. Acho que ele realmente teve um dia a mais com sua mãe. E um dia passado com alguém que você ama pode mudar tudo.

Eu sei. Eu tive um dia assim também – na arquibancada de um campo de beisebol local –, um dia para escutar, para amar, para pedir perdão e perdoar. E decidir, anos depois, que esse bebê que carrego dentro de mim se chamará, com muito orgulho, Charley.

Meu nome de casada é Maria Lang.

O de solteira, Maria Benetto.

Chick Benetto era meu pai.

E se meu pai disse, eu acredito.

Fim

Agradecimentos

O autor gostaria de agradecer a Leslie Wells e Will Schwalbe pela edição; a Bob Miller pela fé e paciência; a Ellen Archer, Jane Commins, Katie Wainright, Christine Regasa, Sally Anne McCartin, Sarah Schaffer e Maha Khalil por seu apoio incansável; a Phil Rose pela arte maravilhosa; e a Miriam Wenger e David Lott pelo olhar atento. Meus especiais agradecimentos a Kerri Alexander, que ainda trata de tudo; a David Black, que me animou em inúmeros jantares movidos a frango; e especialmente a Janine, que ouviu esta história em manhãs tranqüilas, leu-a em voz alta e dedicou-lhe seu primeiro sorriso. E também, é claro, como esta é uma história sobre uma família, à minha família, àqueles antes de mim, àqueles depois de mim e a todos à minha volta.

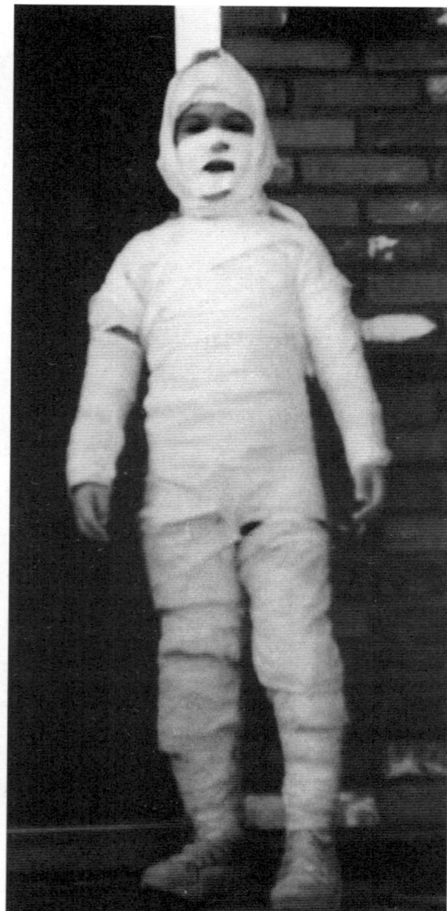

Dedico este livro, com amor, a Rhoda Albom, a mamãe da múmia.

INFORMAÇÕES SOBRE OS PRÓXIMOS LANÇAMENTOS

Para receber informações sobre os lançamentos da EDITORA SEXTANTE, basta enviar um e-mail para atendimento@esextante.com.br ou cadastrar-se diretamente no site www.sextante.com.br

Para saber mais sobre nossos títulos e autores, e enviar seus comentários sobre este livro, visite o nosso site: www.sextante.com.br

EDITORA SEXTANTE
Rua Voluntários da Pátria, 45 / 1.404 – Botafogo
Rio de Janeiro – RJ – 22270-000 – Brasil
Telefone: (21) 2286-9944 – Fax: (21) 2286-9244
E-mail: atendimento@esextante.com.br